Pasta

ZABERT SANDMANN

Spaghetti & Co.
Verführerische Vielfalt

Nudeln oder Pasta, wie man in Italien sagt, gibt es in allen nur erdenklichen Variationen. Es ist zwar weiterhin strittig, ob die Nudeln in China oder in Italien erfunden wurden. Eindeutig fest steht aber, dass die Italiener die wahren Spezialisten in Sachen Pasta sind: Ob Muscheln, Hörnchen, Öhrchen oder Schnecken – es gibt kaum eine hübsche Form, die sie nicht in Gestalt einer Nudel verewigt hätten. Es soll mehr als 300 verschiedene Pasta-Sorten geben, die auf dem Stiefel angeboten werden. Bei dieser Fülle verwundert es nicht, dass die Frage »Welche Pasta-Sorte harmoniert am besten mit welcher Sauce« beinahe schon eine Wissenschaft für sich ist. Als Faustregel gilt: je schwerer die Sauce, desto breiter die Nudeln. So sind z. B. bei dunklen Fleischsaucen breite Bandnudeln wie Pappardelle die idealen Begleiter. Auch kurze Nudeln wie Penne oder Rigatoni passen gut zu gehaltvolleren Saucenvarianten mit Fleisch oder Gemüse. Die »Langen«, Makkaroni und Spaghetti, kann man mit fast allen Saucen kombinieren – unübertroffen sind sie mit aromatischen Kräuter- und Tomatensaucen.

1

PAPPARDELLE (links) stammen aus der Toskana und sind unter den verschiedenen flachen Bandnudeln die breitesten.

1 **SPAGHETTI** heißen wörtlich übersetzt »Bindfäden«. Es gibt sie in unterschiedlichen Durchmessern und Längen (Mindestlänge 30 cm). Dünnere Spaghetti werden als Spaghettini oder Vermicelli bezeichnet.

2 **LASAGNEBLÄTTER** gibt es als Fertigprodukt aus Hartweizen (auch mit Spinat grün gefärbt) im Handel. Sie haben den Vorteil, dass man sie nicht vorkochen muss.

3 **FUSILLI** sehen aus wie kleine Korkenzieher. Sie können dank ihrer Form cremige Saucen sehr gut aufnehmen.

4 **TAGLIATELLE** sind die klassischen Teigwaren aus der Gegend um Parma. Die flachen Bandnudeln sind schmaler als Pappardelle und werden oft mit Spinat oder Tomatenmark gefärbt und zu Nestern geformt angeboten.

5 **ROTELLE** finden häufig als Suppeneinlage Verwendung, schmecken aber auch als Salat. Die Nudeln, deren Form an Wagenräder erinnert, werden in unterschiedlichen Größen angeboten.

6 **TORTELLINI** zählen zu den Klassikern unter den gefüllten Nudeln. Es gibt sie mit vegetarischer oder Fleischfüllung. Sie passen bestens zu Würzbutter, aber auch zu cremigen Saucen. Zudem sind sie ideal zum Überbacken.

7 **PENNE**, kurze Röhrennudeln mit schräg abgeschnittenen Enden, gibt es mit glatter (lisce) und gerillter (rigate) Oberfläche. Sie passen bestens zu eher dünnflüssigen Saucen.

CONCHIGLIE sind Nudeln in Muschelform. Die kleinen nehmen sehr gut Saucen auf, die großen eignen sich vorzüglich zum Füllen und Überbacken.

FARFALLE werden wegen ihrer Form auch Schmetterlingsnudeln genannt. Kleine Farfalline verwendet man gern als Suppeneinlage.

FETTUCCINE, flache Bandnudeln mit einer Breite von ca. 1 cm, sind die römische Variante der Tagliatelle.

LINGUINE und **TRENETTE** sehen fast aus wie Spaghetti, sind aber nicht rund, sondern leicht flach gedrückt.

MAKKARONI, lange, röhrenförmige Nudeln, stammen aus Neapel und werden in Italien vor dem Kochen durchgebrochen, da sie sich in ganzer Länge nur schwer essen lassen.

ORECCHIETTE verdanken ihren Namen ihrer Form – sie sehen nämlich aus wie kleine Öhrchen.

RAVIOLI, gefüllte Teigtäschchen, kann man auch frisch oder getrocknet kaufen. Selbst gemacht schmecken sie aber natürlich am besten.

CANNELLONI kann man wie Lasagneblätter fertig kaufen. Die großen Nudelröhren werden ohne Vorkochen beliebig gefüllt, mit Sauce übergossen und dann überbacken.

RIGATONI und **TORTIGLIONI** nennt man kurze, dicke Röhrennudeln mit gerillter Oberfläche. Sie haben gerade Enden und einen größeren Durchmesser als Penne.

Step by Step
Die wichtigsten Küchentechniken

Das Angebot an fertigen Teigwaren ist riesig, doch echte Pasta-Fans wissen: Selbst gemachte Nudeln schmecken einfach am besten. Das ist zwar mit einigem Aufwand verbunden, doch die Mühe lohnt sich! Bei der Zubereitung von Nudelteig ist die Qualität des Mehls das A und O. Pasta-Profis verwenden daher Farina di semola fine (gibt es in italienischen Feinkostläden) oder ein anderes griffiges Mehl wie Wiener Griessler. Wer kernige Nudeln bevorzugt, mischt Mehl mit Hartweizengrieß. Pasta-Teig muss immer möglichst dünn ausgerollt werden. Früher geschah dies mit Nudelrolle und Muskelkraft; heute überlässt man diese Arbeit meist der Nudelmaschine. Damit die Nudeln dann al dente, also bissfest, auf den Tisch kommen, ist nicht nur die exakte Garzeit, sondern auch reichlich Wasser nötig. Pasta will schwimmen: Man rechnet etwa 1 l Wasser pro 100 g Teigwaren. Ein Schuss Öl im Kochwasser verhindert bei selbst gemachter Pasta das Überkochen. Es gibt auch einen Trick, wie man vermeiden kann, dass die Nudeln zusammenkleben: Bevor man die Pasta in ein Sieb abgießt, einfach 3 EL Kochwasser abnehmen und dann wieder unter die abgetropften Nudeln mischen. Für eine raffinierte Basiswürze geben Profis gern noch 1 EL weißen Aceto balsamico zum Kochwasser. Kalt abbrausen sollte man gegarte Nudeln nur, wenn man sie für Salat verwenden möchte. Durch das Abschrecken wird der Stärkefilm zerstört, der dafür sorgt, dass die Sauce besser an der Nudeloberfläche haftet.

Nudelteig zubereiten

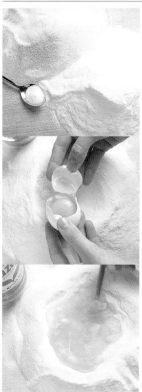

1 Je 200 g Mehl (Type 405) und Hartweizengrieß oder 400 g Mehl mit 1/2 TL Salz auf der Arbeitsfläche vermischen.

2 In die Mitte des Mehls eine breite Mulde drücken. 4 Eier aufschlagen und in die Mulde geben, 1 EL Olivenöl hinzufügen.

3 Mit der Gabel die Eier verquirlen, dabei etwas Mehl vom Rand untermischen. Eventuell etwas Wasser dazugeben.

4 Mit den Handballen von außen nach innen so lange kräftig durchkneten, bis ein glatter, formbarer Teig entsteht.

5 Der Teig ist optimal, wenn er sich leicht von der Arbeitsfläche löst und die Oberfläche zart glänzt.

6 Den Teig zu einer Kugel formen, mit einem Tuch zudecken und bei Zimmertemperatur etwa 30 Minuten ruhen lassen.

Nudelteig in Form bringen

1 Auf der bemehlten Arbeitsfläche die Teigkugel von der Mitte aus mit der Nudelrolle dünn ausrollen.

4 Mit dem entsprechenden Vorsatz für die Nudelmaschine oder mit einem scharfen Messer beliebig breite Bandnudeln schneiden.

2 Mit der Nudelmaschine die Walzenstärke von Mal zu Mal verringern, bis die gewünschte Teigdicke erreicht ist.

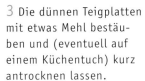

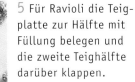

5 Für Ravioli die Teigplatte zur Hälfte mit Füllung belegen und die zweite Teighälfte darüber klappen.

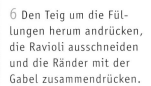

3 Die dünnen Teigplatten mit etwas Mehl bestäuben und (eventuell auf einem Küchentuch) kurz antrocknen lassen.

6 Den Teig um die Füllungen herum andrücken, die Ravioli ausschneiden und die Ränder mit der Gabel zusammendrücken.

Pasta richtig kochen

1 Pro 100 g Pasta etwa 1 l Wasser in einem großen Topf zum Kochen bringen.

4 Die auf der Packung angegebene Garzeit beachten und Garproben machen.

2 Dann pro Liter Wasser 1 leicht gehäuften EL Salz hinzufügen und die Nudeln hineingeben.

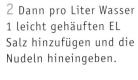

5 Sobald die Nudeln bissfest sind, in ein Sieb abgießen und abtropfen lassen.

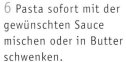

3 Beim Garen ab und zu umrühren, damit die Teigwaren nicht aneinander kleben.

6 Pasta sofort mit der gewünschten Sauce mischen oder in Butter schwenken.

Pasta-Salate

Spaghetti-Salat
mit Kräuter-Sahne-Sauce

Der ideale Sommersnack: Von diesem pikanten Salat mit vielen frischen Kräutern können Pasta-Fans garantiert nicht genug bekommen

Zutaten

250 g Spaghetti

Salz

2 Schalotten

1 Bund Estragon

1 Bund Dill

1 Bund Schnittlauch

2 Knoblauchzehen

1 kleine unbehandelte Orange

200 g saure Sahne

2 EL Zitronensaft

2 EL Olivenöl

Pfeffer aus der Mühle

1 Msp. Cayennepfeffer

Zubereitung

FÜR 4 PERSONEN

1 Die Spaghetti nach Packungsanweisung in reichlich kochendem Salzwasser bissfest garen. In ein Sieb abgießen, kalt abbrausen und abtropfen lassen.

2 Die Schalotten schälen und in feine Würfel schneiden. Die Kräuter waschen und trockenschütteln. Einige Estragonzweige für die Deko beiseite legen, von den restlichen Zweigen die Blätter abzupfen. Die Dillspitzen ebenfalls abzupfen und mit dem Estragon fein hacken. Den Schnittlauch – bis auf etwa 6 Halme – in feine Röllchen schneiden.

3 Den Knoblauch schälen und in feine Würfel schneiden. Die Orange heiß abwaschen und trockenreiben. Die Hälfte der Schale mit einem Zestenreißer abschälen. Die Frucht halbieren, auspressen und den Saft in einer großen Schüssel mit Knoblauch, saurer Sahne, Zitronensaft, Öl, Salz, Pfeffer und Cayennepfeffer zu einem Dressing verrühren.

4 Gehackten Dill und Estragon mit den Schnittlauchröllchen und den Schalottenwürfeln unter das Dressing rühren.

5 Die Spaghetti dazugeben, mit der Sauce mischen und etwa 15 Minuten durchziehen lassen. Den Salat auf einer Platte anrichten und mit den restlichen Kräutern und den Orangenzesten garnieren.

Tipp

Wer keinen Zestenreißer hat, kann die unbehandelte Orange auch dünn abschälen und anschließend die Schalenstücke mit einem Küchenmesser in feine Streifen schneiden.

Lauwarmer Nudelsalat
mit Hähnchen und Tomaten

Einfach zum Aufgabeln: Mit Oliven, Tomaten, Kräutern und kurzen,
bunten Nudeln wird dieser Salat zu einem farbenfrohen Sattmacher

Zutaten

250 g bunte Spiralnudeln

Salz

2 Hähnchenbrustfilets

Pfeffer aus der Mühle

2 EL Butterschmalz

4 Fleischtomaten

60 g schwarze Oliven

(ohne Stein)

6 EL Olivenöl

2 EL Aceto balsamico

2–3 EL gehackte Petersilie

Zubereitung
FÜR 4 PERSONEN

1 Die Spiralnudeln nach Packungsanweisung in reichlich kochendem Salzwasser bissfest garen. In ein Sieb abgießen, kalt abbrausen und abtropfen lassen.

2 Die Hähnchenbrustfilets waschen, trockentupfen und in mundgerechte Würfel schneiden. Mit Salz und Pfeffer würzen. Das Butterschmalz in einer Pfanne erhitzen und das Hähnchenfleisch darin bei schwacher Hitze etwa 6 Minuten rundum goldbraun braten.

3 Die Tomaten waschen, vierteln, entkernen und in kleine Würfel schneiden. Die Oliven klein schneiden.

4 Das Öl in einer Pfanne erhitzen und die Tomaten kurz darin schwenken. Mit Aceto balsamico, Salz und Pfeffer würzen. Die Tomaten und die Oliven mit den Nudeln vermischen. Das Hähnchenfleisch dazugeben, die Petersilie untermischen und den Salat sofort servieren.

Tipp

Eine zusätzliche italienische Note erhält das Gericht, wenn man noch Mozzarellawürfel unter den warmen Salat mischt. Die Käsewürfel beginnen dann zu schmelzen.

Penne-Salat
mit Salsa verde

*In bester Begleitung: Salsa verde, die grüne Sauce aus Italien,
ist zwar nicht so bekannt wie Pesto, aber nicht minder aromatisch*

Zutaten

250 g Penne rigate · Salz

1 Bund Schnittlauch

1 Bund Basilikum

1 Bund Petersilie

je einige Zweige Oregano
und Thymian

2 Knoblauchzehen

3 EL Aceto balsamico

4 EL Olivenöl

1 TL mittelscharfer Senf

Pfeffer aus der Mühle

Zubereitung
FÜR 4 PERSONEN

1 Die Penne nach Packungsanweisung in reichlich kochendem Salzwasser bissfest garen. In ein Sieb abgießen, kalt abbrausen und abtropfen lassen.

2 Den Schnittlauch waschen, trockenschütteln und in kleine Röllchen schneiden. Basilikum, Petersilie, Oregano und Thymian waschen und trockenschütteln, die Blätter bzw. Nadeln abzupfen. Einige Blätter bzw. Nadeln für die Deko beiseite legen, den Rest fein hacken.

3 Den Knoblauch schälen und in feine Würfel schneiden. In einer großen Salatschüssel den Aceto balsamico mit Öl, Senf, Knoblauch, Salz und Pfeffer zu einem Dressing verrühren.

4 Die gehackten Kräuter ebenfalls unter das Dressing rühren. Nochmals mit Salz und Pfeffer abschmecken.

5 Die Penne in die Schüssel geben, mit dem Kräuterdressing mischen und etwa 15 Minuten durchziehen lassen. Mit den restlichen Kräutern garniert servieren.

Tipp

Das Aroma von frischen Kräutern kann sich am besten entfalten, wenn man sie mit einem scharfen Messer schneidet. Beim Zerkleinern mit dem Wiegemesser werden die Blätter eher zerquetscht.

Garganelli-Salat
mit Brokkoli und Thunfisch

Zutaten

250 g Garganelli (oder

Penne rigate) · Salz

1 Dose Thunfisch

(im eigenen Saft)

250 g Brokkoliröschen

250 g Tomaten · 1 Schalotte

1 Knoblauchzehe · 3 EL Olivenöl

Pfeffer aus der Mühle

1 EL Weißweinessig

50 g frisch geriebener Parmesan

einige Basilikumblätter

(in feine Streifen geschnitten)

Zubereitung
FÜR 4 PERSONEN

1 Die Garganelli nach Packungsanweisung in reichlich kochendem Salzwasser bissfest garen.

2 Den Thunfisch mit einer Gabel in grobe Stücke teilen. Die Brokkoliröschen in kochendem Salzwasser etwa 7 Minuten blanchieren, eiskalt abschrecken und abtropfen lassen.

3 Die Tomaten waschen und in kleine Spalten schneiden, dabei die Stielansätze entfernen. Die Schalotte und den Knoblauch schälen und in feine Würfel schneiden.

4 Das Öl in einer Pfanne erhitzen, die Schalotten- und Knoblauchwürfel darin glasig dünsten. Die Brokkoliröschen und die Tomatenspalten dazugeben und kurz mitdünsten.

5 Die Garganelli in ein Sieb abgießen, abtropfen lassen und mit dem Brokkoli und den Tomaten mischen. Mit Salz, Pfeffer und Essig würzen.

6 Die Thunfischstücke vorsichtig unterheben und den Salat mindestens 30 Minuten durchziehen lassen. Mit geriebenem Parmesan und Basilikumstreifen servieren.

Spaghetti-Salat
mit Spinat und Kartoffeln

Zutaten

250 g Spaghetti

Salz

2 rote Paprikaschoten

4 Kartoffeln

9 EL Olivenöl

400 g junger Spinat

80 g schwarze Oliven

(ohne Stein)

2 Knoblauchzehen

2 EL Aceto balsamico

1 TL mittelscharfer Senf

Pfeffer aus der Mühle

Zubereitung
FÜR 4 PERSONEN

1 Die Spaghetti nach Packungsanweisung in reichlich kochendem Salzwasser bissfest garen. Abgießen, kalt abbrausen und abtropfen lassen.

2 Die Paprikaschoten längs halbieren, entkernen, waschen und in grobe Stücke schneiden. Die Kartoffeln schälen, waschen und in kleine Würfel schneiden.

3 In einer Pfanne 3 EL Öl erhitzen, die Kartoffelwürfel darin unter Rühren etwa 5 Minuten braten. Die Paprika dazugeben und kurz mitbraten.

4 Den Spinat putzen, waschen und in kochendem Salzwasser blanchieren. Abgießen, eiskalt abschrecken und gut abtropfen lassen. Die Oliven halbieren. Alle Zutaten für den Salat in einer großen Schüssel vermischen.

5 Für das Dressing den Knoblauch schälen und in feine Würfel schneiden. Den Aceto balsamico mit Knoblauch, Senf und Salz verrühren. Das restliche Öl unterschlagen, das Dressing mit Pfeffer würzen und über den Salat träufeln.

Spaghetti-Salat
mit würziger Vinaigrette

Kulinarisches Gipfeltreffen: Exotische Würze und die klassischen
Aromen der Mittelmeerküche geben diesem Salat das gewisse Etwas

Zutaten

600 g Tomaten

1 grüne Chilischote

1 Bund Koriander

2 Limetten (davon

1 unbehandelt)

5 Knoblauchzehen

16 grüne Oliven

(ohne Stein)

2–3 EL Olivenöl

Salz · Pfeffer aus der Mühle

250 g Spaghetti

Zubereitung
FÜR 4 PERSONEN

1 Die Tomaten überbrühen, häuten, vierteln und entkernen. Das Fruchtfleisch in Würfel schneiden. Die Chilischote längs halbieren, entkernen, waschen und in feine Streifen schneiden.

2 Den Koriander waschen und trockenschütteln, die Blätter von den Stielen zupfen. Einige Blätter für die Deko beiseite legen, den Rest fein hacken. Die unbehandelte Limette heiß abwaschen, trockenreiben und in kleine Stücke schneiden. Die restliche Limette auspressen.

3 Den Knoblauch schälen und in feine Würfel schneiden. Mit Oliven, gehacktem Koriander, Chili, 3 EL Limettensaft und dem Öl gut vermischen. Die Tomatenwürfel untermischen, mit Salz und Pfeffer würzen und 30 Minuten durchziehen lassen.

4 Die Spaghetti nach Packungsanweisung in reichlich kochendem Salzwasser bissfest garen. In ein Sieb abgießen, kalt abbrausen und abtropfen lassen. Mit der Vinaigrette vermischen und auf Tellern anrichten. Mit Koriander, Limettenstücken und nach Belieben mit kleinen grünen Chilischoten garniert servieren.

Tipp

Hat man größere Mengen Knoblauch zu schälen, kann man die Zehen mit heißem Wasser übergießen und kurz ziehen lassen. Sie lassen sich dann ganz leicht aus den Schalen drücken.

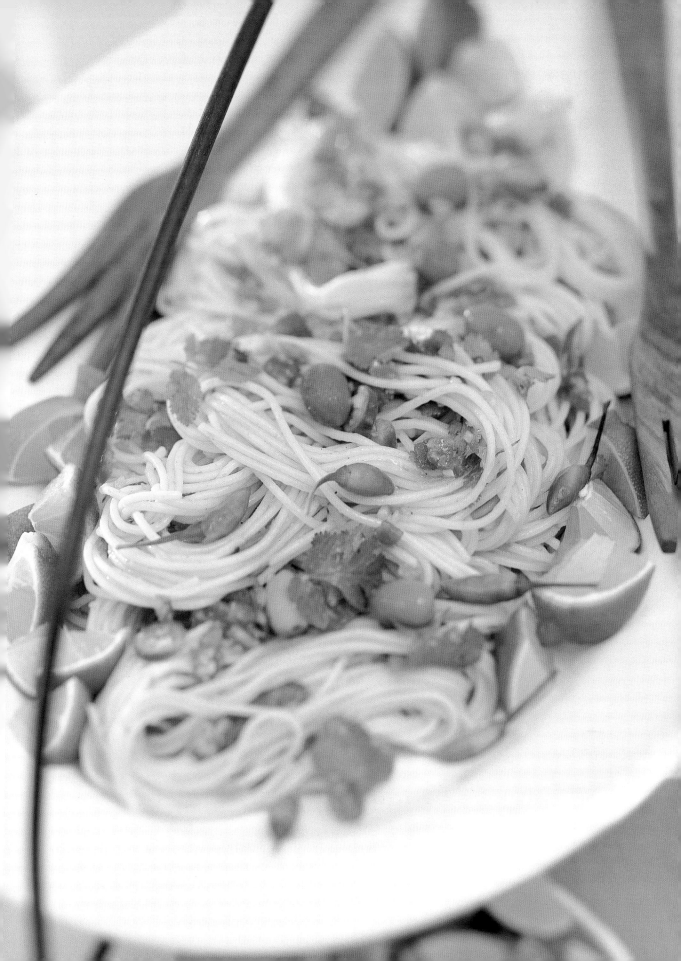

Fusilli-Salat

mit Radicchio und Salami

Ein Salat, der nach Urlaub schmeckt: Diese raffinierte Pasta-Kreation
mit Radicchio, Salami und Mozzarella ist der Hit auf jeder Sommerparty

Zutaten

250 g Fusilli

Salz

100 g Salami (in Scheiben)

6 eingelegte grüne Peperoni

4 Stangen Staudensellerie

(mit Grün)

1 Kopf Radicchio

1 Kugel Mozzarella

(ca. 125 g)

1 Zwiebel

2 Knoblauchzehen

4 EL Weißweinessig

5 EL Olivenöl

Pfeffer aus der Mühle

100 g schwarze Oliven

(ohne Stein)

Zubereitung

FÜR 4 PERSONEN

1   Die Fusilli nach Packungsanweisung in reichlich kochendem Salzwasser bissfest garen. In ein Sieb abgießen, kalt abbrausen und abtropfen lassen.

2   Die Salami in dünne Streifen schneiden. Die Peperoni waschen und in Ringe schneiden. Den Staudensellerie putzen und waschen. Das Grün für die Deko beiseite legen, die Selleriestangen in feine Scheiben schneiden.

3   Den Radicchio putzen, in einzelne Blätter teilen, waschen und trockenschleudern. Den Mozzarella in Würfel schneiden. Die Zwiebel schälen und in feine Würfel schneiden.

4   Den Knoblauch schälen und in feine Würfel schneiden. Mit Essig, Öl, Salz und Pfeffer in einer großen Schüssel mit dem Schneebesen zu einem Dressing verrühren.

5   Die Salamistreifen, die Peperoniringe, die Selleriescheiben, die Zwiebelwürfel, die Oliven und die Hälfte der Mozzarellawürfel mit den Nudeln zu dem Dressing in die Schüssel geben und gut vermischen.

6   Den Salat mit den Radicchioblättern und dem Selleriegrün anrichten und mit den restlichen Mozzarellawürfeln bestreuen.

Tipp

Radicchio hat einen leicht bitteren Geschmack. Wer ihn nicht mag, legt den Salat kurz in warmes Wasser – auf diese Weise wird der Bittergeschmack gemildert.

Spaghetti-Salat
mit Thunfischsauce

Da lacht das Schlemmerherz: Dieser raffinierte bunte
Sommersalat ist schnell zubereitet und so richtig zum Sattessen

Zutaten

250 g Spaghetti · Salz

500 g grüne Bohnen

1 Bund Frühlingszwiebeln

1 Dose Thunfisch

(im eigenen Saft)

10 Cocktailtomaten

2 EL Weißweinessig

5 EL Olivenöl

1 TL scharfer Senf

2 EL Crème fraîche

Pfeffer aus der Mühle

Zucker

1 EL getrockneter Thymian

1 unbehandelte Zitrone

Zubereitung
FÜR 4 PERSONEN

1 Die Spaghetti nach Packungsanweisung in reichlich kochendem Salzwasser bissfest garen. In ein Sieb abgießen, kalt abbrausen und abtropfen lassen.

2 Von den Bohnen die Enden abknipsen und dabei eventuell vorhandene Fäden abziehen. Die Bohnen waschen, in größere Stücke brechen und in reichlich kochendem Salzwasser etwa 10 Minuten garen.

3 Die Frühlingszwiebeln putzen, waschen und in feine Ringe schneiden. Den Thunfisch abtropfen lassen und mit einer Gabel in kleine Stücke teilen. Die Cocktailtomaten waschen und vierteln.

4 Essig, Öl, Senf und Crème fraîche zu einem Dressing verrühren, mit Salz, Pfeffer und Zucker abschmecken.

5 Die Bohnen in ein Sieb abgießen, abtropfen lassen und sofort mit dem Dressing vermischen. Den Thymian, die Frühlingszwiebeln und die Tomaten- und Thunfischstücke unterheben.

6 Die Spaghetti auf eine große Platte geben und die Thunfisch-Bohnen-Mischung darauf anrichten. Zitrone heiß abwaschen, trockenreiben und achteln, den Salat mit den Zitronenspalten garniert servieren.

Tipp

Thunfisch im eigenen Saft hat wesentlich weniger Kalorien als in Öl eingelegter Thunfisch. Der Hinweis »ohne Treibnetz gefangen« auf den Dosen garantiert einen ökologisch bewussten Fischfang.

Tortiglioni-Salat

mit Tintenfisch und Paprika

*Das schmeckt nach Sommer: Bei Tintenfisch, Sardellen und Knoblauch
werden Erinnerungen an Urlaubstage im sonnigen Süden wach*

Zutaten

250 g Tortiglioni (oder
andere kurze Röhrennudeln)

Salz

2 rote Paprikaschoten

1 Knoblauchzehe

4 Sardellenfilets (in Öl)

5 EL Olivenöl

Saft von 1 kleinen Zitrone

1 EL getrockneter Oregano

Pfeffer aus der Mühle

450 g Tintenfischtuben
(küchenfertig)

1 Bund Basilikum

Zubereitung

FÜR 4 PERSONEN

1 Die Tortiglioni nach Packungsanweisung in reichlich kochendem Salzwasser bissfest garen. In ein Sieb abgießen, kalt
abbrausen und abtropfen lassen.

2 Den Backofengrill einschalten. Die Paprikaschoten der Länge
nach halbieren, entkernen, waschen und mit der Haut nach
oben auf den Rost oder das Backblech legen. Die Paprikahälften im Backofen auf der mittleren Schiene etwa 10 Minuten
garen, bis die Haut braun wird und Blasen wirft. Die Paprikaschoten etwas abkühlen lassen, häuten und in gleichmäßige
schmale Streifen schneiden.

3 Den Knoblauch schälen und mit den Sardellenfilets, 3 EL Öl,
dem Zitronensaft und Oregano in einen Rührbecher geben.
Mit dem Stabmixer pürieren und die Sauce in eine große
Schüssel füllen, mit wenig Salz und Pfeffer würzen.

4 Die Tintenfischtuben waschen, trockentupfen und in Ringe
schneiden. Das restliche Öl in einer Pfanne erhitzen und die
Tintenfischringe darin kurz anbraten. Mit Salz und Pfeffer
würzen und etwas abkühlen lassen. Tintenfischringe, Paprikastreifen und Tortiglioni in die Schüssel geben und gründlich
mit der Sauce vermischen.

5 Das Basilikum waschen und trockenschütteln, die Blätter von
den Stielen zupfen. Einige Blätter für die Deko beiseite legen,
den Rest fein hacken. Die gehackten Basilikumblätter unter
den Salat mischen. Den Salat auf einer Platte anrichten und
mit dem restlichen Basilikum garniert servieren.

Fusilli-Salat
mit Kichererbsen

Zutaten

80 g Kichererbsen

300 g Fusilli · Salz

1 grüne Chilischote

2 rote Paprikaschoten

1 Zwiebel

$1/2$ Bund Salbei

1 EL Butterschmalz

Pfeffer aus der Mühle

$1/8$ l trockener Weißwein

2 EL Rotweinessig

4 EL Olivenöl

1 EL fein gehackte Petersilie

Zubereitung
FÜR 4 PERSONEN

1   Die Kichererbsen über Nacht in kaltem Wasser einweichen. Abgießen und etwa 2 Stunden bei schwacher Hitze in frischem Wasser garen, abgießen und abtropfen lassen. Die Fusilli nach Packungsanweisung in reichlich kochendem Salzwasser bissfest garen. In ein Sieb abgießen, dabei etwas Kochwasser auffangen.

2   Chili- und Paprikaschoten längs halbieren, entkernen und waschen. Die Paprikaschoten in etwa 1 cm große, die Chilischote in feine Würfel schneiden. Die Zwiebel schälen und ebenfalls in feine Würfel schneiden. Den Salbei waschen und trockenschütteln, die Blätter abzupfen und in Streifen schneiden.

3   Das Butterschmalz in einer Pfanne erhitzen und die Zwiebelwürfel darin andünsten. Paprika und Chili dazugeben, ebenfalls andünsten und mit Salz und Pfeffer würzen. Den Wein dazugießen und offen köcheln lassen, bis die Flüssigkeit verdampft ist. Den Salbei und die Kichererbsen unterrühren.

4   Essig, Salz, Pfeffer, Öl und Nudelwasser verrühren. Die Zutaten mit der Sauce vermischen und den Salat mit Petersilie bestreut servieren.

Pappardelle-Salat
mit Schafskäse und Zucchini

Zutaten

350 g Pappardelle · Salz

2 Zucchini

½ Bund Frühlingszwiebeln

2 EL Olivenöl

Saft von 1 Zitrone

Pfeffer aus der Mühle

2 EL Pinienkerne

75 g Schafskäse

1 Bund Rucola

12 schwarze Oliven

(ohne Stein)

Zubereitung

FÜR 4 PERSONEN

1 Die Pappardelle nach Packungsanweisung in reichlich kochendem Salzwasser bissfest garen. In ein Sieb abgießen, kalt abbrausen und abtropfen lassen.

2 Die Zucchini und die Frühlingszwiebeln putzen, waschen und in Stücke schneiden. Das Öl in einer Pfanne erhitzen, Zucchini und Frühlingszwiebeln darin 5 Minuten dünsten. Mit Zitronensaft, Salz und Pfeffer würzen.

3 Die Pinienkerne in einer Pfanne ohne Fett goldbraun rösten. Den Schafskäse in Würfel schneiden. Den Rucola verlesen, waschen und trockenschütteln, grobe Stiele entfernen.

4 Gemüse, Schafskäse, Rucola, Oliven und Pappardelle gründlich vermischen. Den Salat mit Salz und Pfeffer abschmecken und mit den gerösteten Pinienkernen bestreut servieren.

Spaghetti-Salat
mit Avocado und Garnelen

Ein Hauch von Luxus: Edle Meeresfrüchte sorgen dafür, dass diese extravagante Salatkomposition auch verwöhnte Gaumen begeistert

Zutaten

250 g Spaghetti · Salz

2 Avocados

Saft von 1 Zitrone

1 Knoblauchzehe

2 EL Olivenöl

Pfeffer aus der Mühle

1 rote Chilischote

250 g Garnelen
(küchenfertig)

3 TL eingelegte
grüne Pfefferkörner

Zubereitung
FÜR 4 PERSONEN

1 Die Spaghetti nach Packungsanweisung in reichlich kochendem Salzwasser bissfest garen. In ein Sieb abgießen, kalt abbrausen und abtropfen lassen.

2 Die Avocados der Länge nach halbieren und den Stein entfernen. Die Avocadohälften schälen und nochmals halbieren, ein Viertel mit etwas Zitronensaft beträufeln und kühl stellen.

3 Den Knoblauch schälen und mit dem Rest der Avocados, dem Öl und dem restlichen Zitronensaft mit dem Stabmixer pürieren. Die Avocadosauce mit Salz und Pfeffer würzen und in eine große Salatschüssel geben.

4 Die Spaghetti unter die Sauce mischen und kurz durchziehen lassen. Inzwischen die Chilischote der Länge nach halbieren, entkernen, waschen und in schmale Streifen schneiden.

5 Die Garnelen kalt abspülen und trockentupfen. Mit den Chilistreifen und den Pfefferkörnern unter die Nudeln mischen.

6 Das restliche Avocadoviertel in Scheiben schneiden. Den Salat anrichten, mit den Avocadoscheiben und nach Belieben mit kleinen roten Chilischoten garnieren.

Tipp

Grüne Pfefferkörner sind die unreif geernteten grünen Pfefferfrüchte. Sie sind milder im Geschmack als schwarzer Pfeffer und werden entweder eingelegt oder gefriergetrocknet angeboten.

Pasta mit
Gemüse & Käse

Spaghetti
mit Pilzen und Minze

Eine nicht alltägliche Kombination: Pilze aller Art und frische Minze –
diese Gaumenfreude sollte man sich nicht entgehen lassen

Zutaten

600 g gemischte frische

Pilze (je nach Saison

Shiitake-Pilze, Champig-

nons, Austernpilze, Pfiffer-

linge oder Steinpilze)

3 Stiele Minze

400 g Spaghetti

Salz

2 Schalotten

4 EL Olivenöl

1 Knoblauchzehe

Pfeffer aus der Mühle

Zubereitung
FÜR 4 PERSONEN

1 Die Pilze putzen und mit Küchenpapier trocken abreiben. Kleinere Pilze ganz lassen oder halbieren. Bei größeren Pilzen die Stiele aus den Hüten drehen und klein schneiden. Die Pilzhüte quer in Scheiben schneiden.

2 Die Minze waschen und trockenschütteln, die Blätter von den Stielen zupfen. Einige Blätter für die Deko beiseite legen, den Rest fein hacken.

3 Die Spaghetti nach Packungsanweisung in reichlich kochendem Salzwasser bissfest garen.

4 Inzwischen die Schalotten schälen und in feine Würfel schneiden. Das Öl in einer Pfanne erhitzen und die Schalotten darin andünsten. Die Pilze dazugeben und kurz mitdünsten.

5 Den Knoblauch schälen und in feine Würfel schneiden. Mit der gehackten Minze hinzufügen und alles einige Minuten bei schwacher Hitze garen. Mit Salz und Pfeffer würzen.

6 Die Spaghetti in ein Sieb abgießen und abtropfen lassen. Mit dem Pilzragout mischen und mit den Minzeblättern garnieren.

Tipp

Pilze sollten Sie auf keinen Fall waschen, denn sie saugen sich rasch mit Wasser voll und verlieren dadurch an Aroma. In der Regel reicht es, Pilze mit Küchenpapier trocken abzureiben.

Spaghetti
mit Tomatenpesto

Das Dreamteam der Pasta-Küche: Auch in der Variante mit
getrockneten Tomaten passt die berühmte Sauce perfekt zu Spaghetti

Zutaten

400 g Spaghetti · Salz

1/2 rote Chilischote

2 Knoblauchzehen

70 g getrocknete Tomaten
(in Öl)

50 g Pecorino (am Stück)

30 g geschälte, gemahlene
Mandeln

6 EL Olivenöl

Pfeffer aus der Mühle

1 EL Aceto balsamico

einige Basilikumblätter
zum Garnieren

Zubereitung

FÜR 4 PERSONEN

1 Die Spaghetti nach Packungsanweisung in reichlich kochendem Salzwasser bissfest garen.

2 Die Chilischote entkernen, waschen und fein hacken. Den Knoblauch schälen und in feine Würfel schneiden.

3 Die getrockneten Tomaten in ein Sieb abgießen, dabei das Öl auffangen. Die Tomaten in Stücke schneiden. Vom Pecorino mit dem Sparschäler einige Späne für die Deko abhobeln und beiseite legen, den restlichen Käse fein reiben.

4 Tomaten, Chili, Knoblauch, etwa 2 EL Tomatenöl und die gemahlenen Mandeln im Blitzhacker oder mit dem Stabmixer fein pürieren. Dann den geriebenen Pecorino und nach und nach das Öl untermixen. Das Tomatenpesto mit Salz, Pfeffer und Aceto balsamico abschmecken.

5 Die Spaghetti in ein Sieb abgießen und gut abtropfen lassen. Die Spaghetti wieder in den Topf geben, mit dem Tomatenpesto mischen und auf vorgewärmte Teller verteilen. Mit Basilikumblättern und Pecorinospänen garniert servieren.

Tipp

Pesto kann man gut in größeren Mengen herstellen – in einem Schraubglas hält es sich im Kühlschrank mehrere Wochen. Es sollte dabei immer mit einer Schicht Olivenöl bedeckt sein.

Spaghetti
mit Olivenpaste

Zutaten

2 Knoblauchzehen

150 g schwarze Oliven

(ohne Stein)

1 EL eingelegte Kapern

80 ml Olivenöl

1 TL Zitronensaft

Salz · Pfeffer aus der Mühle

1 Fleischtomate

½ Bund Basilikum

400 g Spaghetti

40 g Parmesan (am Stück)

Zubereitung

FÜR 4 PERSONEN

1 Den Knoblauch schälen. Die Oliven grob zerkleinern und beides mit den Kapern im Blitzhacker oder mit dem Stabmixer fein pürieren. Nach und nach das Öl dazugeben und die Paste mit Zitronensaft, Salz und Pfeffer würzen.

2 Die Tomate überbrühen, häuten, vierteln und entkernen. Das Fruchtfleisch in Würfel schneiden. Das Basilikum waschen und trockenschütteln, die Blätter von den Stielen zupfen. Einige Blätter für die Deko beiseite legen, den Rest in feine Streifen schneiden.

3 Die Spaghetti nach Packungsanweisung in reichlich kochendem Salzwasser bissfest garen. In ein Sieb abgießen und abtropfen lassen.

4 Den Parmesan fein reiben. Die Spaghetti mit der Olivenpaste, den Tomatenwürfeln und den Basilikumstreifen mischen und mit Parmesan bestreut servieren.

Linguine
mit Gemüse-Minze-Sauce

Zutaten

¹/₄ l Gemüsebrühe

je 250 g Erbsen und grüne

Bohnen (tiefgekühlt)

1 kleines Bund Minze

5 EL Crème fraîche

2 EL Limettensaft

Salz · Pfeffer aus der Mühle

400 g Linguine

50 g Parmesan (am Stück)

Zubereitung
FÜR 4 PERSONEN

1 Die Brühe aufkochen, die Erbsen und Bohnen darin bei mittlerer Hitze 12 Minuten garen. Die Minze waschen und trockenschütteln, die Blätter von den Stielen zupfen. Einige Blätter für die Deko beiseite legen, den Rest fein hacken.

2 Die gehackte Minze mit der Crème fraîche zu dem Gemüse geben. Die Gemüsesauce mit Limettensaft, Salz und Pfeffer würzen.

3 Die Linguine nach Packungsanweisung in reichlich kochendem Salzwasser bissfest garen. In ein Sieb abgießen und gut abtropfen lassen.

4 Den Parmesan reiben und unter die Gemüsesauce rühren, die Sauce noch etwa 5 Minuten köcheln lassen. Die abgetropften Linguine mit der Sauce mischen und mit den Minzeblättern garniert servieren.

Pappardelle
mit Gorgonzolasauce

*Lust auf ausgefallene Kreationen? Die klassische Kombination
Birnen und Gorgonzola wurde hier für die Pasta-Küche neu entdeckt*

Zutaten

500 g Staudensellerie

(mit Grün)

2 EL Butter

Salz

400 g Pappardelle

250 g Gorgonzola

200 g Sahne

Pfeffer aus der Mühle

4 EL Pinienkerne

1 kleine Birne

(z. B. Williams Christ)

Zubereitung
FÜR 4 PERSONEN

1 Den Staudensellerie putzen und waschen. Die Stangen schräg in dünne Scheiben schneiden, das Grün für die Deko beiseite legen. Die Butter in einem Topf zerlassen und die Selleriescheiben darin bei mittlerer Hitze etwa 5 Minuten dünsten.

2 Reichlich Wasser zum Kochen bringen, salzen und die Pappardelle darin nach Packungsanweisung bissfest garen.

3 Inzwischen den Gorgonzola klein schneiden. Einige Stücke beiseite legen, den Rest mit der Sahne zu den Selleriescheiben geben. Kurz aufkochen und den Käse unter Rühren bei schwacher Hitze schmelzen. Die Sauce kurz köcheln lassen, mit Salz und Pfeffer kräftig würzen.

4 Die Pinienkerne in einer Pfanne ohne Fett goldbraun rösten. Die Birne waschen, halbieren und das Kerngehäuse entfernen. Die Birnenhälften in Spalten schneiden.

5 Die Pappardelle in ein Sieb abgießen und abtropfen lassen. In einer Schüssel mit der Gorgonzolasauce und den Birnenspalten anrichten, die gerösteten Pinienkerne und die restlichen Käsestücke darüber streuen. Mit dem Selleriegrün garnieren und nach Belieben mit grob gemahlenem Pfeffer bestreuen.

Tipp

Noch pikanter wird die Sauce, wenn Sie statt Gorgonzola den würzigeren Roquefort nehmen. Wer es dagegen milder mag, verwendet am besten cremigen Sahne-Gorgonzola mit Mascarpone.

Makkaroni
mit Spinat-Ricotta-Sauce

Zutaten

450 g Blattspinat

Salz

400 g Makkaroni

2 EL Olivenöl

2 Knoblauchzehen

Pfeffer aus der Mühle

frisch geriebene Muskatnuss

50 g Rosinen

3 EL Pinienkerne

1 EL Butter

150 g Ricotta

Zubereitung
FÜR 4 PERSONEN

1 Den Spinat putzen und waschen. In kochendem Salzwasser kurz blanchieren, gut ausdrücken und grob hacken.

2 Die Makkaroni nach Packungsanweisung in reichlich kochendem Salzwasser bissfest garen.

3 Inzwischen das Öl in einem Topf erhitzen und den gehackten Spinat darin kurz andünsten. Den Knoblauch schälen, in feine Würfel schneiden und dazugeben. Den Spinat mit Salz, Pfeffer und Muskatnuss würzen.

4 Die Rosinen unter den Spinat rühren und kurz mitdünsten. Die Pinienkerne in einer Pfanne ohne Fett goldbraun rösten.

5 Die Makkaroni in ein Sieb abgießen und abtropfen lassen. In einer vorgewärmten Schüssel mit der Butter und dem Spinat vermischen.

6 Die Pinienkerne und den grob zerkleinerten Ricotta darüber geben und vor dem Servieren alles nochmals gut mischen.

Pappardelle
mit Oliven-Basilikum-Sauce

Zutaten

150 g durchwachsener
Räucherspeck

100 g schwarze Oliven

1 Schalotte

400 g Pappardelle · Salz

2 EL Olivenöl

1 Knoblauchzehe

3 Stiele Basilikum

1 TL Speisestärke

100 ml Gemüsebrühe

100 g frisch geriebener Parmesan

Pfeffer aus der Mühle

Zubereitung

FÜR 4 PERSONEN

1 Den Speck in feine Streifen schneiden. Die Oliven halbieren, entsteinen und ebenfalls in feine Streifen schneiden. Die Schalotte schälen und in feine Würfel schneiden.

2 Die Pappardelle nach Packungsanweisung in reichlich kochendem Salzwasser bissfest garen.

3 Inzwischen das Öl erhitzen und die Schalotten darin andünsten. Den Speck dazugeben und anbraten.

4 Den Knoblauch schälen, in feine Würfel schneiden und dazugeben. Das Basilikum waschen und trockenschütteln, die Blätter abzupfen und hacken. Mit den Oliven unterrühren.

5 Die Speisestärke in einer Tasse mit der Brühe anrühren. Zu der Sauce geben und einmal aufkochen lassen.

6 Den Parmesan unterrühren und die Sauce mit Salz und Pfeffer abschmecken. Die Pappardelle in ein Sieb abgießen, abtropfen lassen und mit der Sauce mischen.

Spaghetti
mit Rucola und Chili

Immer ein Erfolg: Würziger Knoblauch, feines Olivenöl und feurige Chilischärfe sind die besten Garanten für pures Pasta-Vergnügen

Zutaten

400 g Spaghetti

Salz

75 g Parmesan (am Stück)

100 g Rucola

1 Schalotte

2 Knoblauchzehen

1 rote Chilischote

6 EL Olivenöl

2 EL eingelegte Kapern

Pfeffer aus der Mühle

Zubereitung
FÜR 4 PERSONEN

1 Die Spaghetti nach Packungsanweisung in reichlich kochendem Salzwasser bissfest garen. Den Parmesan fein reiben.

2 Den Rucola verlesen, waschen und trockenschütteln. Grobe Stiele entfernen und die Blätter nach Belieben ganz lassen oder in Stücke zupfen.

3 Die Schalotte und den Knoblauch schälen und in feine Würfel schneiden. Die Chilischote längs halbieren, entkernen, waschen und fein hacken oder in dünne Streifen schneiden.

4 Das Öl in einem großen Topf erhitzen, Schalotte, Knoblauch und Chili darin bei mittlerer Hitze andünsten. Die Spaghetti in ein Sieb abgießen und gut abtropfen lassen, dabei eine kleine Tasse Kochwasser auffangen.

5 Die Spaghetti mit dem Rucola und den Kapern in den Topf zum Chiliöl geben und alles gut vermischen. Mit Salz und Pfeffer würzen, auf Teller verteilen und sofort servieren.

Tipp

Bei Kapern gilt: je kleiner, desto feiner. Die Früchte des Kapernstrauchs gibt es in Essigmarinade eingelegt oder in Salz konserviert. Letztere sollte man vor der Verwendung unbedingt waschen.

Farfalle
mit Sauerampfersauce

Pasta-Fantasie in Grün-Weiß: Sauerampfer und Schmetterlingsnudeln
verbinden sich zu einem extravaganten Frühlingsgericht

Zutaten

1 große Salatgurke

50 g Sauerampfer

400 g Farfalle

Salz

2 EL Butter

4 EL geschälte Pistazien

150 g Sahnejoghurt

2 EL Limettensaft

Pfeffer aus der Mühle

1 unbehandelte Limette

Zubereitung
FÜR 4 PERSONEN

1 Die Gurke waschen, längs halbieren und entkernen. Das Fruchtfleisch in feine Streifen schneiden. Den Sauerampfer waschen und trockenschütteln. Einige Blätter für die Deko beiseite legen, den Rest in sehr feine Streifen schneiden.

2 Die Farfalle nach Packungsanweisung in reichlich kochendem Salzwasser bissfest garen.

3 Inzwischen die Butter in einer großen Pfanne zerlassen und die Gurkenstreifen darin 5 Minuten dünsten. Die Pistazien im Blitzhacker mahlen. Mit dem Sahnejoghurt und dem Limettensaft vermischen und unter die Gurkenstreifen rühren. Mit Salz und Pfeffer kräftig abschmecken.

4 Die Farfalle in ein Sieb abgießen, abtropfen lassen und mit der Joghurtsauce mischen. Mit den beiseite gelegten Sauerampferblättern auf Tellern anrichten und die Sauerampferstreifen darüber streuen. Die Limette heiß abwaschen, trockenreiben und in Spalten schneiden. Die Farfalle mit den Limettenspalten und nach Belieben mit einigen Limettenzesten und gehackten Pistazien garniert servieren.

Tipp

Die klein geschnittenen Sauerampferblätter können ihr feines, erfrischendes Aroma noch besser entfalten, wenn sie vor dem Servieren kurz in heißem Öl angedünstet werden.

Bunte Fusilli
mit Tomaten und Oliven

Zutaten

400 g bunte Fusilli · Salz

400 g Tomaten

1 Schalotte

1 Knoblauchzehe

3 EL Olivenöl

Pfeffer aus der Mühle

2 TL Aceto balsamico

50 g schwarze Oliven

½ Bund Basilikum

40 g Parmesan (am Stück)

Zubereitung
FÜR 4 PERSONEN

1 Die Fusilli nach Packungsanweisung in reichlich kochendem Salzwasser bissfest garen.

2 Inzwischen die Tomaten überbrühen, häuten, vierteln und entkernen. Das Fruchtfleisch in Würfel schneiden.

3 Die Schalotte und den Knoblauch schälen und in feine Würfel schneiden. Das Öl erhitzen, Schalotten- und Knoblauchwürfel darin andünsten. Die Tomaten dazugeben, mit Salz, Pfeffer und Aceto balsamico würzen. Alles zugedeckt bei mittlerer Hitze etwa 8 Minuten köcheln lassen.

4 Die Oliven vierteln und entsteinen. Das Basilikum waschen und trockenschütteln, die Blätter von den Stielen zupfen. Mit den Oliven unter die Tomatensauce heben.

5 Die Fusilli in ein Sieb abgießen und abtropfen lassen. Mit der Tomatensauce auf Tellern anrichten, den Parmesan mit dem Sparschäler darüber hobeln.

Spaghetti
mit Sahne-Gorgonzola-Sauce

Zutaten

400 g Spaghetti

Salz

150 g milder Gorgonzola

250 g Sahne

1 TL Aceto balsamico

Pfeffer aus der Mühle

Zubereitung
FÜR 4 PERSONEN

1   Die Spaghetti nach Packungsanweisung in reichlich kochendem Salzwasser bissfest garen.

2   Den Gorgonzola in kleine Stücke schneiden. Die Sahne erhitzen, den Käse (einige Stücke zurückbehalten) darin bei schwacher Hitze langsam schmelzen. Die Käsesahne sämig einköcheln lassen.

3   Die Gorgonzolasauce mit Aceto balsamico, Salz und Pfeffer würzen und mit dem Pürierstab schaumig aufschlagen.

4   Die Spaghetti in ein Sieb abgießen, abtropfen lassen und mit der Käsesauce mischen. Die restlichen Käsestücke darüber streuen. Auf Tellern oder in Schälchen anrichten. Nach Belieben Baguette dazu servieren.

Fettuccine
mit Paprikagemüse

Eine Pasta-Variation, wie sie nicht nur die Sizilianer lieben:
Mit Paprikaschoten und Kräutern kommt südliche Sonne auf den Tisch

Zutaten

2 gelbe Paprikaschoten

2 rote Paprikaschoten

2 Knoblauchzehen

1 Bund Petersilie

1 Bund Basilikum

400 g Fettuccine

(oder Tagliatelle)

Salz · 1 EL Butter

 1/8 l Gemüsebrühe

1/8 l trockener Weißwein

2 EL Aceto balsamico

Pfeffer aus der Mühle

250 mL (handschriftlich)

Zubereitung

FÜR 4 PERSONEN

1 Die Paprikaschoten längs halbieren und entkernen. Die Paprikahälften waschen und in feine Streifen schneiden. Den Knoblauch schälen und in feine Würfel schneiden.

2 Die Petersilie und das Basilikum waschen und trockenschütteln, die Blätter von den Stielen zupfen. Einige Blätter für die Deko beiseite legen, den Rest fein hacken.

3 Die Fettuccine nach Packungsanweisung in reichlich kochendem Salzwasser bissfest garen.

4 Inzwischen in einer großen Pfanne die Butter zerlassen, den Knoblauch und die Paprikastreifen darin kurz andünsten. Die Brühe und den Wein angießen und alles etwa 8 Minuten dünsten. Das Paprikagemüse mit Aceto balsamico würzen und mit Salz und Pfeffer abschmecken.

5 Die Fettuccine in ein Sieb abgießen und abtropfen lassen. Mit dem Paprikagemüse in der Pfanne vermischen und kurz erhitzen. Die gehackten Kräuter unter die Nudelpfanne rühren. Mit den beiseite gelegten Basilikumblättern garniert servieren.

Tipp

Der würzige, lang gereifte Aceto balsamico eignet sich nicht nur hervorragend zum Verfeinern von Salatdressings. Er verleiht auch deftigen Gemüsesaucen ein feines Aroma.

Tagliolini
mit Zucchini und Tomaten

Nudeln ohne Tomaten? Für die Italiener fast undenkbar.
Hier bekommen beide noch Gesellschaft von frischen Zucchini

Zutaten

400 g Tagliolini

Salz

4 Knoblauchzehen

200 g Cocktailtomaten

200 g Zucchini

1 Bund Petersilie

5 EL Olivenöl

Pfeffer aus der Mühle

50 g frisch geriebener

Pecorino

Zubereitung
FÜR 4 PERSONEN

1 Die Tagliolini nach Packungsanweisung in reichlich kochendem Salzwasser bissfest garen.

2 Den Knoblauch schälen und in feine Scheiben schneiden. Die Tomaten waschen und halbieren. Die Zucchini putzen, waschen und auf der Gemüsereibe fein raspeln. Die Petersilie waschen und trockenschütteln, die Blätter von den Stielen zupfen und fein hacken.

3 Das Öl erhitzen, Knoblauch und Petersilie darin unter Rühren andünsten. Die Tomaten und Zucchini dazugeben und kurz erwärmen.

4 Die Tagliolini in ein Sieb abgießen und abtropfen lassen, dabei $1/8$ l Kochwasser auffangen. Das Kochwasser unter das Gemüse rühren und mit Salz und Pfeffer würzen. Die Tagliolini dazugeben und gut vermischen. Auf Tellern anrichten und mit Pecorino bestreuen.

Tipp

Cocktail- oder Kirschtomaten sind noch aromatischer als ihre großen Verwandten. Damit sie ihr Aroma behalten, werden sie in diesem Rezept nicht gekocht, sondern nur erwärmt.

Penne
mit Tomaten und Pesto

Zutaten

3 Bund Basilikum

4 Knoblauchzehen

100 g Pinienkerne

75 g frisch geriebener Parmesan

Salz

120 ml Olivenöl

500 g Penne lisce

6 Tomaten

Pfeffer aus der Mühle

Zubereitung

FÜR 4 PERSONEN

1 Für das Pesto das Basilikum waschen und trockenschütteln, die Blätter von den Stielen zupfen. 3 Knoblauchzehen schälen und halbieren.
Einige Basilikumblätter für die Deko beiseite
legen, den Rest mit Knoblauch und Pinienkernen im Blitzhacker oder mit dem Stabmixer zu
einer feinen Paste pürieren. 50 g Parmesan
und 1 Prise Salz hinzufügen, nach und nach
100 ml Öl dazugeben und gut untermixen.

2 Die Penne nach Packungsanweisung in reichlich kochendem Salzwasser bissfest garen.

3 Die Tomaten überbrühen, häuten, vierteln und
entkernen. Das Fruchtfleisch in kleine Würfel
schneiden. Das restliche Öl in einem großen
Topf erhitzen und die Tomaten darin dünsten.
Die letzte Knoblauchzehe schälen, in feine
Würfel schneiden und dazugeben. 6 EL Pesto
unterrühren, mit Salz und Pfeffer abschmecken.

4 Die Penne in ein Sieb abgießen und abtropfen
lassen, zu den Tomaten geben und kurz erwärmen. Mit dem restlichen Parmesan und Basilikumblättern garniert servieren. Das restliche
Pesto im Schraubglas kühl aufbewahren.

Spaghetti
mit Schafskäse

Zutaten

1 Bund Frühlingszwiebeln

1 unbehandelte Zitrone

400 g Spaghetti

Salz

1 EL Butter

150 g Schafskäse

200 g Sahne

Pfeffer aus der Mühle

Zubereitung
FÜR 4 PERSONEN

1 Die Frühlingszwiebeln putzen und waschen.
Die Hälfte der Frühlingszwiebeln in Ringe,
den Rest längs in schmale Streifen schneiden.

2 Die Zitrone heiß abwaschen, trockenreiben und
halbieren. Eine Hälfte auspressen, die andere
in dünne Scheiben schneiden.

3 Die Spaghetti nach Packungsanweisung in
reichlich kochendem Salzwasser bissfest garen.

4 Die Butter in einer Pfanne zerlassen, die Früh-
lingszwiebelstreifen darin andünsten. Den grob
zerkleinerten Schafskäse – bis auf 3 EL – mit
der Sahne und 1 EL Zitronensaft mit dem Stabmixer pürieren. Die Käsesahne in die Pfanne
geben, unterrühren und kurz köcheln lassen.

5 Die Sauce mit Salz und Pfeffer abschmecken
und mit den abgetropften Nudeln anrichten.
Mit Zwiebelringen, Zitronenscheiben und dem
restlichen Schafskäse garnieren.

Spaghettini
mit getrockneten Tomaten

Ein Pasta-Gericht, das süchtig macht: Sonnenverwöhnte Tomaten
und frischer Portulak sorgen für ein einzigartiges Aroma

Zutaten

400 g Frühlingszwiebeln

3 Knoblauchzehen

200 g getrocknete Tomaten
(in Öl)

400 g Spaghettini

Salz

4 EL Olivenöl

Pfeffer aus der Mühle

80 g Portulak

50 g Pecorino (am Stück)

Zubereitung
FÜR 4 PERSONEN

1 Die Frühlingszwiebeln putzen, waschen und in feine Ringe schneiden. Den Knoblauch schälen und in feine Würfel schneiden. Die getrockneten Tomaten auf Küchenpapier abtropfen lassen und in feine Streifen schneiden.

2 Die Spaghettini nach Packungsanweisung in reichlich kochendem Salzwasser bissfest garen.

3 Inzwischen das Öl in einem großen Topf erhitzen. Den Knoblauch, die getrockneten Tomaten und die Frühlingszwiebeln darin etwa 8 Minuten dünsten, mit Salz und Pfeffer würzen.

4 Den Portulak waschen, trockenschütteln und die Blätter abzupfen. Die Spaghettini in ein Sieb abgießen und abtropfen lassen. Im Topf mit den Tomaten mischen und kurz erhitzen. Mit dem Portulak garnieren und den Pecorino darüber hobeln.

Tipp

Portulakblätter sollten möglichst frisch verwendet und nicht erhitzt werden. Da das Kraut leicht salzig schmeckt, empfiehlt es sich, die Pasta-Sauce nur vorsichtig zu würzen.

Penne
mit Kräuter-Käse-Sauce

Zutaten

2 Bund Petersilie

1 Knoblauchzehe

1 EL Zitronensaft

7 EL Olivenöl

3 EL Pinienkerne

400 g Penne lisce

Salz

100 g mittelalter Gouda

(am Stück)

2 EL Crème fraîche

Pfeffer aus der Mühle

einige Schnittlauchhalme

Zubereitung

FÜR 4 PERSONEN

1 Die Petersilie waschen und trockenschütteln, die Blätter von den Stielen zupfen. Einige Blätter für die Deko beiseite legen, den Rest grob hacken. Den Knoblauch schälen und halbieren. Mit der Petersilie, dem Zitronensaft, 3 EL Öl und den Pinienkernen im Mixer zu einer feinen Paste pürieren.

2 Die Penne nach Packungsanweisung in reichlich kochendem Salzwasser bissfest garen.

3 Inzwischen den Gouda grob raspeln und mit der Crème fraîche unter die Kräutersauce rühren. Mit Salz und Pfeffer kräftig würzen. Die beiseite gelegten Petersilienblätter in 4 EL Öl 1 Minute frittieren.

4 Die Penne in ein Sieb abgießen, abtropfen lassen und sofort mit der Kräuter-Käse-Sauce vermischen. Mit Schnittlauchhalmen und den frittierten Petersilienblättern garnieren.

Linguine
mit Balsamico-Linsen

Zutaten

250 g braune Linsen

2 Tomaten · 1 Möhre

1 Stange Staudensellerie

2 Knoblauchzehen · 4 EL Olivenöl

1 Zwiebel (in feine Würfel
geschnitten)

1 grüne Chilischote
(in feine Streifen geschnitten)

$\frac{1}{8}$ l trockener Weißwein

Salz · Pfeffer aus der Mühle

2 EL Aceto balsamico

400 g Linguine

1 Bund Rucola

Zubereitung
FÜR 4 PERSONEN

1 Die Linsen waschen und mit Wasser bedeckt über Nacht einweichen. Das Einweichwasser aufheben.

2 Die Tomaten überbrühen, häuten, vierteln, entkernen und würfeln. Die Möhre schälen und klein würfeln. Die Selleriestange putzen, waschen und in feine Scheiben schneiden.

3 Den Knoblauch schälen und in feine Würfel schneiden. Das Öl erhitzen, Zwiebel, Knoblauch und Chili darin andünsten.

4 Die Linsen mit dem Einweichwasser und den Wein hinzufügen und alles 30 Minuten köcheln lassen. 10 Minuten vor Ende der Garzeit das vorbereitete Gemüse dazugeben. Mit Salz, Pfeffer und Aceto balsamico würzen.

5 Die Linguine nach Packungsanweisung in reichlich kochendem Salzwasser bissfest garen. Den Rucola putzen, waschen und trockenschütteln, grobe Stiele entfernen. Die Linguine in ein Sieb abgießen und abtropfen lassen, die Balsamico-Linsen und den Rucola untermischen.

Spaghetti
mit Basilikum

Eine glückliche Verbindung: Basilikum, Knoblauch und Olivenöl
sind (Gaumen-)Schmeichler, auf die dünne Nudeln stehen

Zutaten

500 g Spaghetti

Salz

4 Bund Basilikum

2 Knoblauchzehen

8 EL Olivenöl

Pfeffer aus der Mühle

50 g Pecorino (am Stück)

Zubereitung
FÜR 4 PERSONEN

1 Die Spaghetti nach Packungsanweisung in reichlich kochendem Salzwasser bissfest garen.

2 Das Basilikum waschen und trockenschütteln, die Blätter von den Stielen zupfen. Etwa 20 Blätter für die Deko beiseite legen, den Rest in feine Streifen schneiden. Den Knoblauch schälen und in feine Würfel schneiden.

3 Inzwischen 4 EL Öl in einer Pfanne erhitzen, die Basilikumstreifen und den Knoblauch darin kurz andünsten.

4 Die Spaghetti in ein Sieb abgießen und abtropfen lassen. In die Pfanne zu dem Knoblauch-Kräuter-Öl geben und gut untermischen. Mit Salz und Pfeffer abschmecken.

5 Das restliche Öl in einer zweiten Pfanne erhitzen, die beiseite gelegten Basilikumblätter darin 1 Minute frittieren. Auf Küchenpapier abtropfen lassen, das Öl zu den Basilikum-Spaghetti geben.

6 Die Nudeln mit den frittierten Basilikumblättern auf einer Platte anrichten und den Pecorino mit dem Sparschäler darüber hobeln.

Tipp

Frittierte Kräuterblätter haben ein ganz besonderes Aroma und sind das i-Tüpfelchen auf jedem Gericht. Probieren Sie auch durch Backteig gezogene und dann frittierte Salbeiblätter.

Pappardelle
mit Tomaten-Rucola-Sauce

Ein Klassiker wird variiert: Die beste Basis für eine Vielzahl
von Pasta-Saucen ist nach wie vor eine hausgemachte Tomatensauce

Zutaten

300 g Rucola

1 kg vollreife Tomaten

150 g Zwiebeln

2 Knoblauchzehen

400 g Pappardelle

Salz

3 EL Olivenöl

2 EL Aceto balsamico

Pfeffer aus der Mühle

Zucker

50 g Parmesan (am Stück)

2 EL Ricotta

Zubereitung
FÜR 4 PERSONEN

1 Den Rucola putzen, waschen und trockenschütteln, grobe Stiele entfernen. Die Tomaten überbrühen, häuten, vierteln und entkernen. Das Fruchtfleisch in Würfel schneiden. Zwiebeln und Knoblauch schälen und in feine Würfel schneiden.

2 Die Pappardelle nach Packungsanweisung in reichlich kochendem Salzwasser bissfest garen.

3 Inzwischen das Öl in einer Pfanne erhitzen, die Zwiebel- und Knoblauchwürfel darin andünsten. Die Tomatenwürfel dazugeben und etwa 8 Minuten mitdünsten. Mit Aceto balsamico, Salz, Pfeffer und Zucker würzen. Die Sauce warm halten.

4 Den Parmesan mit dem Sparschäler fein hobeln und den Ricotta grob zerkleinern.

5 Die Pappardelle in ein Sieb abgießen, abtropfen lassen und mit der Tomatensauce anrichten. Die Rucolablätter untermischen, mit Ricotta und Parmesanhobeln bestreut servieren.

Tipp

Sonnenverwöhnte Tomaten geben der Sauce den besonderen Geschmack. Im Winter sollten Sie lieber auf Dosentomaten zurückgreifen; sie haben im Vergleich zu frischer Ware das bessere Aroma.

Tagliatelle
mit Pilzen und Rucolapesto

Zutaten

1 Bund Rucola

$\frac{1}{2}$ Bund Basilikum

1 Knoblauchzehe

50 g Pinienkerne

50 g frisch geriebener Parmesan

$\frac{1}{8}$ l Olivenöl

Salz · Pfeffer aus der Mühle

150 g Champignons

1 EL Zitronensaft

400 g Tagliatelle

50 g Parmesan (am Stück)

Zubereitung
FÜR 4 PERSONEN

1 Rucola verlesen, waschen und trockenschütteln. Basilikum waschen und trockenschütteln, die Blätter abzupfen. Knoblauch schälen. Rucola, Basilikum, Knoblauch, Pinienkerne und geriebenen Parmesan im Blitzhacker oder mit dem Stabmixer pürieren. Etwa 100 ml Öl untermixen, das Pesto mit Salz und Pfeffer würzen.

2 Die Champignons putzen und in Scheiben schneiden. Pilze im restlichen Öl scharf anbraten, mit Salz, Pfeffer und Zitronensaft würzen.

3 Tagliatelle nach Packungsanweisung in reichlich kochendem Salzwasser bissfest garen. In ein Sieb abgießen, dabei etwa 4 EL Kochwasser zurückbehalten, und die Tagliatelle gut abtropfen lassen.

4 Das Pesto mit dem Nudelwasser glatt rühren, mit den Pilzen unter die Tagliatelle mischen und auf vorgewärmten Tellern anrichten. Den Parmesan mit dem Sparschäler darüber hobeln.

Fusilli
mit dicken Bohnen

Zutaten

250 g frische, dicke grüne
Bohnenkerne

Salz

2 EL Zitronensaft

Pfeffer aus der Mühle

50 ml Olivenöl

2 dünne Stangen Lauch

2 EL Butter

400 g Fusilli

einige Blätter Zitronenmelisse

Zubereitung

FÜR 4 PERSONEN

1 Die Bohnenkerne in kochendem Salzwasser
3 Minuten blanchieren, in ein Sieb abgießen
und gut abtropfen lassen. Zitronensaft, Salz,
Pfeffer und Öl miteinander verrühren und die
Bohnen darin marinieren.

2 Den Lauch putzen, waschen und in etwa 1 cm
breite Ringe schneiden. Die Butter in einem
Topf zerlassen und den Lauch darin andünsten.
Mit Salz und Pfeffer würzen, 100 ml Wasser dazugießen und zugedeckt 5 Minuten garen.

3 Die Fusilli nach Packungsanweisung in reichlich
kochendem Salzwasser bissfest garen, in ein
Sieb abgießen und abtropfen lassen.

4 Die Zitronenmelisseblätter waschen, trockentupfen und fein hacken. Die Fusilli mit Bohnen
und Marinade, Lauch und Zitronenmelisse mischen und auf vorgewärmten Tellern anrichten.
Nach Belieben mit Zitronenzesten bestreuen.

Pappardelle
mit roten Zwiebeln

Hier macht sich Genuss breit: Was Pappardelle in diesem Rezept
über sich ergehen lassen, bringt Pasta-Freunde ins Schwärmen

Zutaten

2 grüne Paprikaschoten

1 Bund Petersilie

8 Stiele Basilikum

4 Sardellenfilets (in Öl)

180 ml Olivenöl

Meersalz

Pfeffer aus der Mühle

400 g Pappardelle · Salz

6 rote Zwiebeln

2 Zweige Rosmarin

2–3 EL Rotwein

200 ml Gemüsebrühe

2 Lorbeerblätter

240 g Ziegenfrischkäse

Zubereitung

FÜR 4 PERSONEN

1 Die Paprikaschoten längs halbieren, entkernen und waschen. Die Paprikahälften mit dem Sparschäler schälen und in grobe Stücke schneiden. Die Petersilie und das Basilikum waschen und trockenschütteln, die Blätter von den Stielen zupfen.

2 Die Sardellenfilets mit den Paprikastücken, 160 ml Öl und etwas Meersalz im Mixer fein pürieren. Die Petersilien- und Basilikumblätter und – falls nötig – noch etwas Öl untermixen. Die Salsa verde mit Meersalz und Pfeffer würzen.

3 Die Pappardelle nach Packungsanweisung in reichlich kochendem Salzwasser bissfest garen.

4 Die Zwiebeln schälen, halbieren und in Scheiben schneiden. Die Rosmarinzweige waschen und trockenschütteln. Die Zwiebeln im restlichen Öl andünsten und mit dem Wein ablöschen.

5 Die Brühe dazugießen und die Sauce mit Salz und Pfeffer würzen. Die Lorbeerblätter und Rosmarinzweige dazugeben. Die Zwiebelsauce zugedeckt 6 bis 8 Minuten bei mittlerer Hitze kochen lassen. Lorbeerblätter und Rosmarinzweige entfernen und die Sauce mit Salz und Pfeffer abschmecken.

6 Die Pappardelle in ein Sieb abgießen, abtropfen lassen und mit der Zwiebelsauce vermischen. Die Nudeln auf Teller verteilen und mit der Salsa verde beträufeln. Den Ziegenfrischkäse zerbröckeln, darauf geben und grob gemahlenen Pfeffer darüber streuen.

Spaghetti
mit grünem Spargel

Kleiner Aufwand, große Wirkung: Mit grünem Spargel in sahniger Sauce können Sie schnell und unkompliziert nicht nur Ihre Gäste verwöhnen

Zutaten

1 kg grüner Spargel

2 Schalotten

400 g Spaghetti

Salz

2 EL Butter

200 ml Gemüsebrühe

200 g Mascarpone

Pfeffer aus der Mühle

1 Kästchen Kresse

Zubereitung
FÜR 4 PERSONEN

1 Den Spargel waschen, nur im unteren Drittel schälen und in etwa 4 cm lange Stücke schneiden. Die Schalotten schälen und in feine Würfel schneiden.

2 Die Spaghetti nach Packungsanweisung in reichlich kochendem Salzwasser bissfest garen.

3 Inzwischen die Butter in einem Topf zerlassen und die Schalotten darin andünsten. Den Spargel dazugeben und kurz mitdünsten. Die Brühe dazugießen und den Mascarpone unterrühren. Etwa 10 Minuten köcheln lassen, mit Salz und Pfeffer würzen.

4 Die Spaghetti in ein Sieb abgießen, abtropfen lassen und mit der Sauce mischen.

5 Die Kresse abbrausen, die Blättchen abschneiden und untermischen oder als Sträußchen garnieren.

Tipp

Den Mascarpone kann man durch Doppelrahmfrischkäse ersetzen. Zusätzliche Würze bekommt die Sauce, wenn Sie Frischkäse mit Kräutern, schwarzem Pfeffer oder Meerrettich verwenden.

Spaghetti
mit Tomatensauce

Zutaten

800 g Tomaten

3 Frühlingszwiebeln

2 Knoblauchzehen

1/2 Bund Basilikum

2 EL Olivenöl

2 EL Tomatenmark

2 EL Aceto balsamico

100 ml Gemüsebrühe

100 ml trockener Weißwein

Salz · Pfeffer aus der Mühle

Zucker

400 g Spaghetti

40 g Parmesan (am Stück)

Zubereitung
FÜR 4 PERSONEN

1 Die Tomaten überbrühen, häuten, entkernen und in Würfel schneiden. Frühlingszwiebeln putzen und waschen. Das Weiße hacken, das Zwiebelgrün in Ringe schneiden. Knoblauch schälen und in feine Würfel schneiden. Basilikum waschen und trockenschütteln, die Blätter abzupfen. Einige Blätter für die Deko beiseite legen, den Rest in Streifen schneiden.

2 Das Öl in einem Topf erhitzen. Gehackte Frühlingszwiebeln und Knoblauch darin andünsten. Die Tomaten hinzufügen und das Tomatenmark unterrühren. Mit Aceto balsamico ablöschen, die Brühe und den Wein dazugießen. Mit Salz, Pfeffer und Zucker würzen. Etwa 10 Minuten leicht sämig einkochen lassen.

3 Reichlich Wasser aufkochen, salzen und die Spaghetti darin nach Packungsanweisung bissfest garen. Den Parmesan fein reiben.

4 Basilikumstreifen und Zwiebelgrün unter die Tomatensauce rühren, gegebenenfalls nochmals abschmecken. Die Spaghetti in ein Sieb abgießen und gut abtropfen lassen. Mit der Sauce auf Tellern anrichten, mit Parmesan und Basilikum garniert servieren.

Linguine
mit Basilikumpesto

Zutaten

2–3 Bund Basilikum

2 Knoblauchzehen

400 g Linguine

Salz

30 g Pinienkerne

50 g Parmesan

(am Stück)

8 EL Olivenöl

Pfeffer aus der Mühle

Zubereitung

FÜR 4 PERSONEN

1 Das Basilikum waschen und trockenschütteln, die Blätter abzupfen. Einige Blätter für die Deko beiseite legen, den Rest klein schneiden. Den Knoblauch schälen und grob hacken.

2 Die Linguine nach Packungsanweisung in reichlich kochendem Salzwasser bissfest garen.

3 Die Pinienkerne in einer Pfanne ohne Fett nur leicht anrösten. Den Parmesan fein reiben.

4 Basilikum, Knoblauch, Pinienkerne und etwas Öl im Blitzhacker fein pürieren oder im Mörser zerstoßen. Den Parmesan und das restliche Öl nach und nach dazugeben und alles zu einer glatten Paste verrühren. Mit Salz und Pfeffer kräftig abschmecken.

5 Die Linguine in ein Sieb abgießen, dabei 2 bis 3 EL Kochwasser im Topf lassen. Die Nudeln zurück in den Topf geben und das Pesto gründlich untermischen.

Spaghetti
mit sizilianischem Gemüse

Ein buntes Pasta-Vergnügen aus dem Süden Italiens: Geschmorte Paprikaschoten mit feiner Essignote sind bei diesem Rezept der Clou

Zutaten

je 200 g rote, grüne und gelbe Paprikaschoten

250 g weiße Zwiebeln

4 EL Olivenöl

3 EL Rotweinessig

240 g geschälte Tomaten (aus der Dose)

1 EL Aceto balsamico

Zucker · Salz

Pfeffer aus der Mühle

400 g Spaghetti

4 EL eingelegte Kapern

100 g Pecorino (am Stück)

Zubereitung
FÜR 4 PERSONEN

1 Die Paprikaschoten längs halbieren, entkernen, waschen und in etwa 2 cm große Rauten schneiden. Die Zwiebeln schälen und längs in breite Scheiben schneiden.

2 In einem großen Topf das Öl erhitzen, die Zwiebeln und die Paprikastücke darin einige Minuten andünsten. Den Rotweinessig und die Tomaten dazugeben, die Tomaten mit einer Gabel grob zerkleinern. Den Gemüsesugo mit Aceto balsamico, Zucker, Salz und Pfeffer kräftig abschmecken und bei schwacher Hitze etwa 15 Minuten köcheln lassen.

3 Die Spaghetti nach Packungsanweisung in reichlich kochendem Salzwasser bissfest garen.

4 Inzwischen die Kapern zum Gemüsesugo geben und untermischen. Die Sauce noch etwas ziehen lassen.

5 Den Pecorino mit dem Sparschäler in feine Späne hobeln. Die Spaghetti in ein Sieb abgießen und abtropfen lassen. Mit dem Gemüsesugo und dem gehobelten Pecorino anrichten und nach Belieben mit Thymianzweigen garnieren.

Tipp

Noch aromatischer wird der Gemüsesugo, wenn Sie einige getrocknete, in Öl eingelegte Tomaten klein schneiden und unterrühren. Wer es scharf mag, gibt eine gehackte rote Chilischote dazu.

Orecchiette
mit Rucola und Käse

Zutaten

400 g Orecchiette · Salz

1 Bund Rucola

2 rote Zwiebeln

1 Knoblauchzehe

3 EL Olivenöl

100 g Ricotta

100 g Scamorza (ital. Weichkäse; ersatzweise Mozzarella)

Pfeffer aus der Mühle

Zubereitung
FÜR 4 PERSONEN

1 Die Orecchiette nach Packungsanweisung in reichlich kochendem Salzwasser bissfest garen.

2 Inzwischen den Rucola verlesen, waschen, trockenschütteln und grob zerkleinern. Die Zwiebeln schälen, halbieren und der Länge nach in feine Spalten schneiden. Den Knoblauch schälen und in feine Würfel schneiden. Das Öl in einer Pfanne erhitzen und den Knoblauch darin andünsten.

3 Die Zwiebeln einige Minuten mitdünsten, zwei Drittel des Rucolas dazugeben und ebenfalls kurz mitdünsten. Den Ricotta unterrühren und einmal aufkochen lassen.

4 Den Scamorza grob reiben. Die Orecchiette in ein Sieb abgießen, abtropfen lassen und unter die Sauce mischen. Den restlichen Rucola und den Scamorza über die Nudeln geben, mit grob gemahlenem Pfeffer bestreut servieren.

Rigatoni
mit Auberginen

Zutaten

400 g Rigatoni · Salz

1 mittelgroße Aubergine

2 Knoblauchzehen

1 rote Chilischote

150 g geschälte Tomaten

(aus der Dose)

4 EL Olivenöl

Pfeffer aus der Mühle

2 EL fein gehacktes Basilikum

50 g fein gehobelter Parmesan

Zubereitung

FÜR 4 PERSONEN

1 Die Rigatoni nach Packungsanweisung in reichlich kochendem Salzwasser bissfest garen.

2 Die Aubergine putzen und waschen. Zuerst der Länge nach in etwa 1 cm breite Scheiben, dann in Würfel schneiden. Den Knoblauch schälen. Die Chilischote längs halbieren, entkernen und waschen. Beides in feine Würfel schneiden. Die Dosentomaten mit einer Gabel grob zerdrücken.

3 Das Öl erhitzen und die Auberginenwürfel darin unter Rühren goldbraun braten, mit Salz und Pfeffer würzen. Knoblauch, Chili und Tomaten unter die gebratenen Auberginenwürfel mischen und köcheln lassen.

4 Die Rigatoni abgießen, abtropfen lassen und mit dem Basilikum unter die Auberginensauce mischen. Mit Parmesan bestreuen und nach Belieben mit Basilikumblättern garnieren.

Pasta mit
Fisch & Fleisch

Lasagneblätter
mit Gemüse und Garnelen

Hier wird erst zum Schluss geschichtet – ein Pasta-Gericht für besondere Anlässe mit edlen Garnelen und feiner Weißweinsauce

Zutaten

4 große Möhren

1 Bund Frühlingszwiebeln

3 EL Butter

500 g Garnelen
(küchenfertig)

Salz · Pfeffer aus der Mühle

8 Lasagneblätter

1 EL Öl

2 Schalotten

1/4 l trockener Weißwein

200 g Crème fraîche

Saft von 1/2 Zitrone

Zubereitung
FÜR 4 PERSONEN

1 Die Möhren schälen, die Frühlingszwiebeln putzen und waschen. Die Möhren in Scheiben oder Würfel, die Frühlingszwiebeln schräg in kleine Stücke schneiden. In einem Topf 2 EL Butter zerlassen und das Gemüse darin bissfest dünsten.

2 Die Garnelen abbrausen und trockentupfen. Zu dem Gemüse geben und kurz mitgaren. Mit Salz und Pfeffer kräftig würzen und warm stellen.

3 Die Lasagneblätter in reichlich kochendem Salzwasser mit 1 EL Öl weich garen (auch bei Lasagneblättern ohne Vorkochen!). Die Nudelplatten mit dem Schaumlöffel einzeln aus dem Wasser nehmen und nebeneinander auf einem Küchentuch abtropfen lassen.

4 Die Schalotten schälen und in feine Würfel schneiden. Die restliche Butter zerlassen und die Schalottenwürfel darin andünsten. Mit Wein ablöschen und auf die Hälfte einkochen lassen. Die Crème fraîche unterrühren und nochmals 2 Minuten köcheln lassen. Mit Salz, Pfeffer und Zitronensaft würzen.

5 Die Lasagneblätter halbieren und je 4 halbe Blätter mit Garnelen, Gemüse und Schalottensauce auf Teller schichten.

Tipp

Wer kein Fan von Garnelen ist, kann die Lasagne auch mit Fischfilet (z. B. Rotbarsch oder Kabeljau) zubereiten. Das Filet in mundgerechte Würfel schneiden und wie oben beschrieben garen.

Conchiglie
mit Forelle und Fenchel

Einfach unwiderstehlich: Kombiniert mit Anisschnaps, Fenchel und Forellenfilet, wird aus schlichter Pasta ein raffiniertes Gourmetgericht

Zutaten

2 Stangen Lauch

1 Fenchelknolle

1 Bund Estragon

Salz

400 g Conchiglie
(Muschelnudeln)

2 EL Butter

4 EL Anisschnaps
(z.B. Pernod)

6 EL Sahne

4 geräucherte Forellen-
filets (ca. 500 g)

Pfeffer aus der Mühle

Zubereitung
FÜR 4 PERSONEN

1 Lauch und Fenchel putzen, waschen und in dünne Scheiben schneiden. Das Fenchelgrün für die Deko beiseite legen.

2 Den Estragon waschen und trockenschütteln, die Blätter von den Stielen zupfen. Einige Blätter für die Deko beiseite legen, den Rest fein hacken.

3 Reichlich Wasser zum Kochen bringen, salzen und die Conchiglie darin nach Packungsanweisung bissfest garen.

4 Inzwischen die Butter in einem Topf zerlassen, die Lauch- und Fenchelscheiben darin etwa 4 Minuten dünsten. Den Anisschnaps und die Sahne dazugeben und die Gemüsesauce bei schwacher Hitze 5 Minuten köcheln lassen.

5 Die Forellenfilets schräg in etwa 1 cm breite Stücke schneiden. Fischstücke und gehackten Estragon in die Sauce geben und kurz ziehen lassen, mit Salz und Pfeffer abschmecken.

6 Die Conchiglie in ein Sieb abgießen und abtropfen lassen. Mit der Sauce auf Tellern anrichten und mit dem Fenchelgrün und den Estragonblättern garniert servieren.

Tipp

Eine raffinierte Variante für das Forellenragout: Statt der Fenchelknolle je 1 Bund Rucola und Petersilie verwenden und die Sauce mit Zitronensaft anstelle von Anisschnaps abschmecken.

Spaghetti
mit Garnelen und Tomaten

*Da werden mediterrane Träume wahr: Mit Garnelen, Artischocken
und Tomaten schmeckt die Pasta nach Italien und Mittelmeer*

Zutaten

8 eingelegte Artischocken-

herzen (aus dem Glas)

4 große Tomaten

250 g Garnelen

(küchenfertig)

3 Frühlingszwiebeln

400 g Spaghetti · Salz

2 EL Olivenöl

100 ml trockener Sherry

200 g Sahne

2 EL eingelegte grüne

Pfefferkörner

1 Msp. Cayennepfeffer

einige Estragonblätter

Zubereitung
FÜR 4 PERSONEN

1 Die Artischockenherzen auf Küchenpapier abtropfen lassen und der Länge nach vierteln. Die Tomaten überbrühen, häuten, vierteln und entkernen. Das Fruchtfleisch in kleine Würfel schneiden.

2 Die Garnelen abbrausen und trockentupfen. Die Frühlingszwiebeln putzen, waschen und in feine Ringe schneiden.

3 Die Spaghetti nach Packungsanweisung in reichlich kochendem Salzwasser bissfest garen.

4 Inzwischen das Öl in einer breiten Pfanne erhitzen und die Frühlingszwiebeln darin weich dünsten. Die Garnelen und die Artischocken dazugeben und kurz mitbraten. Die Tomatenwürfel hinzufügen und ebenfalls kurz mitgaren.

5 Den Sherry, die Sahne und den grünen Pfeffer unterrühren und etwas einkochen lassen. Mit Salz und Cayennepfeffer kräftig würzen.

6 Die Spaghetti in ein Sieb abgießen und abtropfen lassen. Mit der Sauce anrichten, mit Estragonblättern garnieren.

Tipp

Sherry ist ein spanischer Likörwein, der in der Regel als Aperitif getrunken wird. Zum Kochen eignet sich vor allem trockener (Fino) oder halbtrockener (Amontillado) Sherry.

Spaghetti
mit Thunfisch und Minze

Zutaten

400 g Thunfischfilet

3 große Tomaten

1 Knoblauchzehe

Salz · 400 g Spaghetti

2 EL Olivenöl

50 ml trockener Weißwein

Pfeffer aus der Mühle

1 EL gehackte Minze

Zubereitung
FÜR 4 PERSONEN

1 Den Thunfisch waschen, trockentupfen und in kleine Würfel schneiden. Die Tomaten überbrühen, häuten, vierteln und entkernen. Das Fruchtfleisch in Würfel schneiden. Den Knoblauch schälen und in feine Würfel schneiden.

2 Reichlich Wasser zum Kochen bringen, salzen und die Spaghetti darin nach Packungsanweisung bissfest garen.

3 Das Öl in einer kleinen Pfanne erhitzen und den Knoblauch darin kurz andünsten. Den Thunfisch dazugeben und 2 Minuten mitbraten. Die Tomatenwürfel und den Wein hinzufügen, mit Salz und Pfeffer würzen und 4 bis 5 Minuten leicht köcheln lassen. Zuletzt die Minze unter die Sauce rühren.

4 Die Spaghetti in ein Sieb abgießen, abtropfen lassen und mit der Thunfischsauce auf Tellern anrichten.

Vermicelli
mit Venusmuscheln

Zutaten

1 kg Venusmuscheln

150 g Tomaten

1 Knoblauchzehe

4 EL Olivenöl

400 g Vermicelli

Salz

1/2 Bund Petersilie

Pfeffer aus der Mühle

Zubereitung
FÜR 4 PERSONEN

1 Die Muscheln abbürsten und waschen, geöffnete Muscheln aussortieren. Die Tomaten überbrühen, häuten, vierteln und entkernen. Das Fruchtfleisch in Würfel schneiden. Den Knoblauch schälen und in feine Würfel schneiden.

2 Den Knoblauch in einer Pfanne in 2 EL Öl andünsten. Die Muscheln dazugeben und zugedeckt etwa 5 Minuten garen, bis sie sich öffnen. Geschlossene Muscheln wegwerfen. Muscheln – bis auf einige für die Deko – auslösen und den Sud durch ein feines Sieb gießen.

3 Die Vermicelli nach Packungsanweisung in reichlich kochendem Salzwasser bissfest garen.

4 Inzwischen die Petersilie waschen und trockenschütteln, die Blätter von den Stielen zupfen und fein hacken.

5 Das restliche Öl erhitzen und die Tomatenwürfel darin andünsten. Muscheln, Sud und Petersilie hinzufügen. Alles etwa 3 Minuten erhitzen und mit Salz und Pfeffer würzen. Die Vermicelli in ein Sieb abgießen, abtropfen lassen und mit der Muschelsauce anrichten. Mit den restlichen Muscheln in der Schale garnieren.

Makkaroni
mit Thunfischsauce

Erfrischend anders: Thymian, Kapern und Zitronen
geben der Thunfischsauce die typische Würze des Südens

Zutaten

4 EL Semmelbrösel

1 Bund Thymian

2 Knoblauchzehen

2 unbehandelte Zitronen

Salz

400 g Makkaroni

2 EL Olivenöl

2 Dosen Thunfisch (in Öl)

4 EL eingelegte Kapern

100 ml trockener Weißwein

100 ml Gemüsebrühe

Salz

Cayennepfeffer

Zubereitung
FÜR 4 PERSONEN

1 Die Semmelbrösel in einer Pfanne ohne Fett goldbraun rösten und beiseite stellen. Den Thymian waschen und trockenschütteln, die Blättchen von den Stielen zupfen.

2 Den Knoblauch schälen und in feine Scheiben schneiden. Die Zitronen heiß abwaschen, trockenreiben und die Schale dünn abschälen. Die Zitronen halbieren und den Saft auspressen, die Schale in feine Streifen schneiden.

3 Reichlich Wasser zum Kochen bringen, salzen und die Makkaroni darin nach Packungsanweisung bissfest garen.

4 Das Öl in einer Pfanne erhitzen, den Knoblauch und jeweils die Hälfte des Thymians und der Zitronenschalenstreifen darin unter Rühren etwa 2 Minuten andünsten. Den Thunfisch in einem Sieb abtropfen lassen, mit einer Gabel in Stücke teilen und dazugeben.

5 Kapern, Zitronensaft, Wein und Brühe ebenfalls in die Pfanne geben und die Sauce bei mittlerer Hitze 4 Minuten köcheln lassen. Mit Salz und Cayennepfeffer abschmecken.

6 Die Makkaroni in ein Sieb abgießen und abtropfen lassen. Auf vorgewärmte Teller verteilen und die Thunfisch-Zitronen-Sauce darüber geben. Mit Semmelbröseln, restlichen Kräuterblättern und Zitronenschalenstreifen bestreut servieren.

Strozzapreti

mit Lachs-Sahne-Sauce

Fishing for compliments: Nudeln mit Räucherlachs und sahniger Kräutersauce garantieren erlesene Tafelfreuden

Zutaten

400 g Strozzapreti

(oder Pennette)

Salz

1 Bund gemischte Kräuter

(z. B. Basilikum,

Oregano, Rosmarin)

1 EL Butter

250 g Sahne

2 EL Zitronensaft

400 g Räucherlachs

(in Scheiben geschnitten)

Pfeffer aus der Mühle

Zubereitung

FÜR 4 PERSONEN

1 Die Strozzapreti nach Packungsanweisung in reichlich kochendem Salzwasser bissfest garen.

2 Inzwischen die Kräuter waschen und trockenschütteln, die Blätter bzw. Nadeln von den Stielen bzw. Zweigen zupfen. Einige Kräuterblätter für die Deko beiseite legen, den Rest fein hacken.

3 Die Butter in einer Pfanne zerlassen und die gehackten Kräuter darin kurz andünsten. Die Sahne und den Zitronensaft dazugeben und etwa 4 Minuten köcheln lassen.

4 Den Räucherlachs in Streifen schneiden und kurz in der Sauce erwärmen. Mit Salz und Pfeffer abschmecken.

5 Die Strozzapreti in ein Sieb abgießen und abtropfen lassen. Mit der Sauce vermischen und mit den restlichen Kräutern garniert servieren.

Tipp

Wenn es einmal etwas ganz Besonderes sein soll, können Sie die Kräuter durch Brunnenkresse ersetzen und die Nudeln mit Kapuzinerkresseblüten garnieren.

Linguine
mit Lachs und Käsesauce

Zutaten

1 Zwiebel

2 Knoblauchzehen

1 rote Chilischote

2 EL Butter

100 ml trockener Weißwein

1/8 l Gemüsebrühe

150 g frisch geriebener Gruyère

150 g Crème fraîche

Salz · Pfeffer aus der Mühle

400 g Linguine

400 g Lachsfilet (ohne Haut)

3 EL Zitronensaft

2 EL Schnittlauchröllchen

Zubereitung
FÜR 4 PERSONEN

1 Die Zwiebel und den Knoblauch schälen und in feine Würfel schneiden. Die Chilischote längs halbieren, entkernen, waschen und in feine Streifen schneiden.

2 In einem Topf 1 EL Butter zerlassen, die Zwiebel- und Knoblauchwürfel darin andünsten. Wein und Brühe dazugießen und einmal aufkochen. Käse und Crème fraîche unterrühren und alles etwa 5 Minuten köcheln lassen. Mit Salz und Pfeffer würzen.

3 Die Linguine nach Packungsanweisung in reichlich kochendem Salzwasser bissfest garen.

4 Den Lachs waschen, trockentupfen und in Streifen schneiden. Die restliche Butter in einer Pfanne zerlassen, Lachs und Chilistreifen darin 2 bis 3 Minuten braten. Mit Salz, Pfeffer und Zitronensaft würzen.

5 Den Schnittlauch unter die Käsesauce rühren. Die Linguine in ein Sieb abgießen, abtropfen lassen und mit der Käsesauce mischen. Mit dem Lachs auf Tellern anrichten.

Spaghetti
mit Fisch und Petersilie

Zutaten

2 Knoblauchzehen

4 getrocknete Tomaten (in Öl)

400 g Fischfilet (z. B. Kabeljau)

2 EL Zitronensaft

Salz · Pfeffer aus der Mühle

1 Bund Petersilie

400 g Spaghetti

4 EL Olivenöl

40 g frisch geriebener Parmesan

Zubereitung

FÜR 4 PERSONEN

1 Den Knoblauch schälen und in feine Scheiben schneiden. Die Tomaten abtropfen lassen und in Streifen schneiden.

2 Das Fischfilet waschen, trockentupfen und in mundgerechte Stücke schneiden. Die Fischstücke mit dem Zitronensaft beträufeln und mit Salz und Pfeffer würzen.

3 Petersilie waschen und trockenschütteln, die Blätter von den Stielen zupfen. Einige Blätter für die Deko beiseite legen, den Rest hacken.

4 Die Spaghetti nach Packungsanweisung in reichlich kochendem Salzwasser bissfest garen. In einer großen Pfanne 2 EL Öl erhitzen und die Fischstücke mit den Knoblauchscheiben darin kurz anbraten. Die Tomatenstreifen dazugeben und kurz mitbraten.

5 Die Spaghetti in ein Sieb abgießen und abtropfen lassen, dabei 1 kleine Tasse Kochwasser auffangen. Die Spaghetti und die Petersilie in die Pfanne geben und unter den Fisch mischen. Das Nudelkochwasser und das restliche Öl untermischen. Die Spaghetti mit Pfeffer würzen und mit Parmesan bestreut servieren.

Pappardelle
mit Putenragout

Ein Saucen-Klassiker, der auch Genießer betört: Putenbrust, mit
Wein und Pilzen geschmort, bringt ein Stück Bella Italia auf den Tisch

Zutaten

15 g getrocknete Steinpilze

450 g Putenbrustfilet

150 g Putenlebern

1 Zwiebel

2 Knoblauchzehen

Salz · 400 g Pappardelle

2 EL Olivenöl

1/8 l trockener Rotwein

1/4 l Gemüsebrühe

1 EL Tomatenmark

4 EL Sahne

2 Zweige Rosmarin

1 TL Rotweinessig

Pfeffer aus der Mühle

Zubereitung
FÜR 4 PERSONEN

1 Die Steinpilze in einer kleinen Schüssel mit kochendem Wasser übergießen und einige Minuten einweichen. Die Pilze in ein Sieb abgießen, dabei das Einweichwasser auffangen.

2 Putenbrust und -lebern waschen, mit Küchenpapier trockentupfen und in Scheiben schneiden. Die Zwiebel und den Knoblauch schälen und in feine Würfel schneiden.

3 Reichlich Wasser zum Kochen bringen, salzen und die Pappardelle darin nach Packungsanweisung bissfest garen.

4 Inzwischen das Öl in einem Topf erhitzen, das Fleisch und die Lebern darin anbraten. Die Zwiebel, den Knoblauch und die Pilze dazugeben, alles etwa 3 Minuten dünsten.

5 Den Wein, die Brühe und etwa 1/8 l Pilzwasser dazugießen. Das Tomatenmark, die Sahne und 1 Rosmarinzweig hinzufügen und alles weitere 8 Minuten köcheln lassen. Mit Rotweinessig, Salz und Pfeffer abschmecken. Den Rosmarinzweig entfernen.

6 Die Pappardelle in ein Sieb abgießen und abtropfen lassen. Mit dem Putenragout anrichten und mit den restlichen Rosmarinnadeln garniert servieren.

Rotelle
mit Hähnchenbrust

Zutaten

1 große Zwiebel

2 Bund Petersilie

400 g Rotelle · Salz

2 Hähnchenbrustfilets

6 EL Olivenöl

Pfeffer aus der Mühle

1 TL gehackter Ingwer

200 ml Gemüsebrühe

1 EL Zitronensaft

2 EL Mascarpone

Zubereitung
FÜR 4 PERSONEN

1 Die Zwiebel schälen und in feine Würfel schneiden. Die Petersilie waschen und trockenschütteln. Einige Stiele für die Deko beiseite legen, von den restlichen Stielen die Blätter abzupfen und ebenfalls fein hacken.

2 Die Rotelle nach Packungsanweisung in reichlich kochendem Salzwasser bissfest garen.

3 Inzwischen die Hähnchenbrustfilets waschen, trockentupfen und in 2 EL Öl auf beiden Seiten goldbraun braten. Mit Salz und Pfeffer würzen.

4 Das Fleisch aus der Pfanne nehmen. Die Zwiebelwürfel und den Ingwer im verbliebenen Öl in der Pfanne dünsten. Die Brühe und den Zitronensaft dazugeben. Den Mascarpone unterrühren und die Sauce etwas einkochen lassen. Mit Salz und Pfeffer würzen, die gehackte Petersilie untermischen.

5 Die Petersilienstiele im restlichen Öl frittieren und auf Küchenpapier abtropfen lassen. Die Rotelle in ein Sieb abgießen und abtropfen lassen. Mit der Sauce, dem aufgeschnittenen Hähnchenfleisch und der Petersilie anrichten, nach Belieben mit Zitronenzesten garnieren.

Spaghetti
mit Kalbfleisch

Zutaten

600 g Kalbsschnitzel

1 Schalotte · 200 g Möhren

1 unbehandelte Zitrone

3 EL Olivenöl

500 g Spaghetti · Salz

2 Knoblauchzehen

$\frac{1}{8}$ l trockener Weißwein

$\frac{1}{8}$ l Gemüsebrühe

4 EL Crème fraîche

1 Döschen Safranfäden

2 EL eingelegte Kapern

Pfeffer aus der Mühle

3 EL eingelegte Kapernäpfel

Zubereitung

FÜR 4 PERSONEN

1 Das Kalbfleisch in Streifen schneiden. Schalotte schälen und in feine Würfel schneiden. Die Möhren schälen und in Stifte schneiden. Die Zitrone heiß abwaschen, trockenreiben und in Scheiben schneiden.

2 Das Öl erhitzen und das Fleisch darin unter Rühren etwa 4 Minuten braten. Herausnehmen und warm stellen.

3 Die Spaghetti nach Packungsanweisung in reichlich kochendem Salzwasser bissfest garen.

4 Inzwischen den Knoblauch schälen und in feine Würfel schneiden. Mit Schalotte und Möhren im verbliebenen Bratfett andünsten. Alles mit Wein und Brühe ablöschen. Crème fraîche, Safran, Kapern mit etwas Kapernflüssigkeit und 2 Zitronenscheiben dazugeben. Die Sauce zugedeckt 6 Minuten köcheln lassen. Dann das Kalbfleisch dazugeben, mit Salz und Pfeffer abschmecken.

5 Die Spaghetti in ein Sieb abgießen und abtropfen lassen. Mit der Sauce mischen und auf vorgewärmte Teller verteilen. Mit Kapernäpfeln und Zitronenscheiben garniert servieren.

Tagliatelle
mit Gulaschsauce

Klassiker mit Überraschungseffekt: Bei dieser Hackfleischsauce mit außergewöhnlichem Topping werden Ihre Gäste Augen machen

Zutaten

4 Zwiebeln

5 Zweige Thymian

1 unbehandelte Zitrone

120 ml Olivenöl

300 g Hackfleisch

(aus Gulaschfleisch)

Salz · Pfeffer aus der Mühle

2 EL Tomatenmark

2–3 EL trockener Rotwein

Kümmelpulver

Cayennepfeffer

600 ml Gemüsebrühe

4 Orangen

1 Knoblauchzehe

450 g Tagliatelle

Zubereitung
FÜR 4 PERSONEN

1 Die Zwiebeln schälen und in feine Würfel schneiden. Den Thymian waschen und trockenschütteln. Die Zitrone heiß abwaschen, abtrocknen und etwas Schale abreiben.

2 In einer Pfanne 4 EL Öl erhitzen und die Zwiebelwürfel darin andünsten. Das Hackfleisch dazugeben, mit Salz und Pfeffer würzen und krümelig braten. Das Tomatenmark hinzufügen und kurz anschwitzen. Mit dem Wein ablöschen, die Thymianzweige und die Zitronenschale dazugeben, mit Kümmel und Cayennepfeffer würzen. Die Brühe dazugießen und zugedeckt bei mittlerer Hitze 15 Minuten zu einer sämigen Sauce einkochen lassen. Falls nötig, noch etwas Brühe nachgießen.

3 Den Backofen auf 120 °C vorheizen. Die Orangen so großzügig schälen, dass auch die weiße Haut mit entfernt wird. Die Fruchtfilets aus den Trennhäuten schneiden und in eine tiefe ofenfeste Form geben. Den Knoblauch schälen und mit dem restlichen Öl mit dem Stabmixer pürieren. 2 bis 3 EL Knoblauchöl über die Orangenfilets geben und mit Pfeffer würzen. Im Backofen auf der mittleren Schiene 10 Minuten garen.

4 Die Tagliatelle nach Packungsanweisung in reichlich kochendem Salzwasser bissfest garen. Die Gulaschsauce mit Salz und Cayennepfeffer abschmecken und den Thymian entfernen. Die Tagliatelle in ein Sieb abgießen, abtropfen lassen und mit der Gulaschsauce auf Tellern anrichten. Die Knoblauch-Orangen darauf legen und nach Belieben mit Parmesan bestreuen.

Spaghetti
mit Parmaschinken

Das macht Spaghetti glücklich: Mit Parmesan, Perlzwiebeln und
Parmaschinken haben die langen Nudeln die idealen Partner gefunden

Zutaten

400 g Spaghetti

Salz

100 g gekochter Schinken

(am Stück)

150 g Perlzwiebeln

1 Bund Basilikum

3 EL Olivenöl

1 Knoblauchzehe

100 g Parmesan (am Stück)

100 g Parmaschinken

(in dünnen Scheiben)

Pfeffer aus der Mühle

Zubereitung
FÜR 4 PERSONEN

1 Die Spaghetti nach Packungsanweisung in reichlich kochendem Salzwasser bissfest garen.

2 Inzwischen den gekochten Schinken in kleine Würfel schneiden. Die Perlzwiebeln schälen. Das Basilikum waschen und trockenschütteln, die Blätter von den Stielen zupfen. Einige Blätter für die Deko beiseite legen, den Rest in Streifen schneiden.

3 Das Öl in einer großen Pfanne erhitzen, die Schinkenwürfel und die Zwiebeln darin etwa 6 Minuten anbraten. Den Knoblauch schälen, in feine Würfel schneiden und dazugeben.

4 Den Parmesan mit dem Sparschäler in grobe Späne hobeln. Die Spaghetti in ein Sieb abgießen und abtropfen lassen. Mit dem Parmaschinken und dem Parmesan – bis auf 2 EL – in die Pfanne geben und untermischen. Alles weitere 3 bis 4 Minuten braten, mit Salz und Pfeffer würzen.

5 Die Basilikumstreifen untermischen. Die Schinken-Spaghetti mit den restlichen Basilikumblättern und dem restlichen Parmesan bestreut servieren.

Tipp

Verwenden Sie für dieses Gericht frische Perlzwiebeln – eingelegte Zwiebeln eignen sich nicht. Die Zwiebeln lassen sich besonders gut schälen, wenn man sie 5 Minuten in kaltes Wasser legt.

Pappardelle
mit Hasenragout

Zutaten

400 g Hasenfleisch

(ohne Knochen)

50 g durchwachsener

Räucherspeck

1 Zwiebel · 1 Knoblauchzehe

1 Stange Staudensellerie

1 Fleischtomate

1 EL Butter · 2 EL Olivenöl

Salz · Pfeffer aus der Mühle

1/2 TL getrockneter Thymian

100 ml trockener Weißwein

1/8 l Fleischbrühe

400 g Pappardelle

Zubereitung
FÜR 4 PERSONEN

1 Das Hasenfleisch und den Speck sehr fein zerkleinern. Zwiebel und Knoblauch schälen und in feine Würfel schneiden. Die Selleriestange putzen, waschen und in feine Scheiben schneiden. Die Tomate überbrühen, häuten, vierteln, entkernen und in Würfel schneiden.

2 Butter und Öl in einer Pfanne erhitzen und den Speck darin kross braten. Das Hasenfleisch dazugeben und scharf anbraten. Die Hitze reduzieren und das vorbereitete Gemüse untermischen, mit Salz, Pfeffer und Thymian würzen.

3 Den Wein und die Brühe dazugießen und das Ragout zugedeckt bei schwacher Hitze etwa 2 Stunden schmoren lassen. Zum Schluss nochmals mit Salz und Pfeffer abschmecken.

4 Die Pappardelle nach Packungsanweisung in reichlich kochendem Salzwasser bissfest garen. Die Pappardelle in ein Sieb abgießen, abtropfen lassen und mit dem Ragout mischen. Nach Belieben mit frischem Thymian garnieren.

Makkaroni
alla bolognese

Zutaten

10 g getrocknete Steinpilze

1 Möhre · 1 Zwiebel

1 Knoblauchzehe

2 Stangen Staudensellerie

100 g durchwachsener
Räucherspeck

3 EL Butter · 250 g Hackfleisch

2 EL Tomatenmark

Salz · Pfeffer aus der Mühle

200 g Tomaten (aus der Dose)

$\frac{1}{8}$ l Fleischbrühe · $\frac{1}{8}$ l Rotwein

je 1 TL getrockneter
Thymian und Oregano

125 g Sahne · 400 g Makkaroni

Zubereitung
FÜR 4 PERSONEN

1 Die Steinpilze mit kochendem Wasser übergießen und einige Minuten einweichen. Möhre,
Zwiebel und Knoblauch schälen. Selleriestangen putzen und waschen. Möhre, Zwiebel,
Knoblauch, Sellerie und Speck in kleine Würfel
schneiden.

2 Die Butter in einem Topf zerlassen und Möhre,
Zwiebel, Knoblauch, Sellerie und Speck darin
andünsten. Das Hackfleisch dazugeben und
unter Rühren krümelig braten.

3 Die Pilze abtropfen lassen, klein schneiden und
mit dem Tomatenmark unter das Hackfleisch
rühren. Mit Salz und Pfeffer würzen. Tomaten,
Brühe und Wein dazugeben. Thymian und Oregano hinzufügen, einmal aufkochen und zugedeckt bei schwacher Hitze köcheln lassen.
Nach 1 Stunde die Sahne unterrühren, offen
noch 30 Minuten köcheln lassen.

4 Die Makkaroni nach Packungsanweisung in
reichlich kochendem Salzwasser bissfest garen.
In ein Sieb abgießen, abtropfen lassen und mit
dem Sugo servieren. Nach Belieben frisch geriebenen Parmesan dazu reichen.

Spaghetti
mit Zitronen-Lamm-Ragout

Einfach buonissimo: Sanft geschmortes Lammfleisch
wird hier mit Zitronensaft und knackigem Löwenzahn kombiniert

Zutaten

400 g Lammfleisch
(aus der Keule)
100 g Frühstücksspeck
1 große Zwiebel
1 Knoblauchzehe
1 Bund gelber Löwenzahn
2 EL Olivenöl
$\frac{1}{8}$ l trockener Weißwein
$\frac{1}{4}$ l Gemüsebrühe
Salz · Pfeffer aus der Mühle
frisch geriebene Muskatnuss
1 TL abgeriebene unbehan-
delte Zitronenschale
400 g Spaghetti
150 g Crème fraîche
6 EL Zitronensaft

Zubereitung

FÜR 4 PERSONEN

1 Das Lammfleisch und den Frühstücksspeck in kleine Würfel schneiden. Die Zwiebel und den Knoblauch schälen und in feine Würfel schneiden. Den Löwenzahn putzen, waschen und trockenschütteln.

2 Das Öl in einer Pfanne erhitzen, die Fleisch- und Speckwürfel darin etwa 5 Minuten braten. Den Bratensaft abgießen und beiseite stellen. Die Zwiebel- und Knoblauchwürfel in die Pfanne geben und kurz mitdünsten.

3 Den Bratensaft, den Wein und die Brühe zum Fleisch geben, mit Salz, Pfeffer, Muskatnuss und Zitronenschale würzen. Das Lammragout etwa 10 Minuten weiterköcheln lassen.

4 Inzwischen die Spaghetti nach Packungsanweisung in reichlich kochendem Salzwasser bissfest garen.

5 Die Crème fraîche und den Zitronensaft unter das Lammragout rühren und bei schwacher Hitze weitere 10 Minuten köcheln lassen.

6 Die Spaghetti in ein Sieb abgießen und abtropfen lassen. Mit dem Lammragout und dem Löwenzahn anrichten.

Tipp

Wenn Sie keinen gelben Löwenzahn bekommen, können Sie die Spaghetti mit Lammragout ersatzweise auch mit Rucola oder mit Brunnenkresseblättern anrichten.

Pappardelle
mit Entenbrust

Kurz gebraten, saftig und zart – für diese herzhafte
Pasta-Sauce ist das beste Stück der Ente gerade gut genug

Zutaten

150 g weiße
Gemüsezwiebeln

2 Knoblauchzehen

2 Entenbrustfilets

400 g Pappardelle · Salz

6 EL Olivenöl

500 g passierte Tomaten
(Fertigprodukt)

200 ml Geflügelbrühe

Pfeffer aus der Mühle

2 EL Aceto balsamico

1 Bund Salbei

100 g Parmaschinken
(in dünnen Scheiben)

Zubereitung

FÜR 4 PERSONEN

1 Die Zwiebeln und den Knoblauch schälen und in feine Würfel schneiden. Die Entenbrustfilets waschen, trockentupfen und die Haut abziehen – wer will, kann sie in kleine Stücke schneiden und kross anbraten. Die Entenbrustfilets quer in Streifen schneiden.

2 Die Pappardelle nach Packungsanweisung in reichlich kochendem Salzwasser bissfest garen.

3 Inzwischen 2 EL Öl in einem Topf erhitzen und die Filetstreifen darin anbraten. Die Zwiebeln und den Knoblauch dazugeben und etwa 3 Minuten weiterbraten.

4 Die passierten Tomaten und die Brühe dazugießen. Die Sauce mit Salz, Pfeffer und Aceto balsamico würzen und einmal aufkochen lassen.

5 Inzwischen den Salbei waschen, trockenschütteln und die Blätter von den Stielen zupfen. Die Blätter in 4 EL Öl kurz frittieren. Die Pappardelle in ein Sieb abgießen und abtropfen lassen. Mit der Sauce, den Schinkenscheiben und den Salbeiblättern anrichten.

Tipp

Wer gerne Salbei isst, kann im Nudelkochwasser einige Blätter mitkochen – das gibt den Pappardelle bereits ein leichtes Salbeiaroma. Genauso kann man auch mit anderen Kräutern verfahren.

Pasta gefüllt & aus dem Ofen

Lasagnetaschen

mit Garnelen und Zucchini

Ein Pasta-Gericht, wie es edler und raffinierter kaum sein kann:
Nudeltaschen werden mit Gemüse gefüllt und mit Garnelen gekrönt

Zutaten

8–10 Lasagneblätter

Salz

2 EL Olivenöl

12 Riesengarnelen

(küchenfertig)

Saft von 2 Limetten

1 Bund Dill

1 Bund Frühlingszwiebeln

800 g Zucchini

1 EL Butterschmalz

Pfeffer aus der Mühle

Fett für die Form

150 g Sahne

125 g Doppelrahmfrischkäse

2 Eier

Zubereitung

FÜR 4 PERSONEN

1 Die Lasagneblätter in reichlich kochendem Salzwasser mit 1 EL Öl etwa 6 Minuten weich garen (auch bei Lasagneplatten ohne Vorkochen!). Die Nudelplatten mit dem Schaumlöffel einzeln herausnehmen und in eine Schüssel mit kaltem Wasser geben, damit sie nicht aneinander kleben.

2 Inzwischen die Garnelen abbrausen und trockentupfen. Mit Limettensaft beträufeln und abgedeckt in den Kühlschrank stellen. Den Dill waschen und trockenschütteln, die Spitzen von den Stielen zupfen und fein hacken. Die Frühlingszwiebeln putzen, waschen und in Ringe schneiden. Die Zucchini putzen, waschen und auf einer Küchenreibe grob raspeln.

3 Das Butterschmalz in einer Pfanne erhitzen und die Zucchini darin etwa 1 Minute andünsten. Die Zucchiniraspel gleich wieder aus der Pfanne nehmen und mit dem gehackten Dill und den Frühlingszwiebelringen mischen.

4 Den von den Garnelen abgetropften Limettensaft zum Gemüse gießen. Garnelen und Gemüse mit Salz und Pfeffer würzen.

5 Den Backofen auf 175 °C vorheizen. Die Lasagneblätter aus dem Wasser nehmen, trockentupfen und längs zusammenknicken, sodass Taschen entstehen. Die Taschen mit der Öffnung nach oben nebeneinander in eine gefettete ofenfeste Form setzen.

6 Die Nudeltaschen mit dem Gemüse füllen und mit den Garnelen belegen. Die Sahne, den Frischkäse und die Eier verrühren, mit Salz und Pfeffer würzen. Die Lasagnetaschen mit der Sahne-Ei-Mischung begießen und im Backofen auf der mittleren Schiene etwa 20 Minuten garen. Die Garnelen nach 10 Minuten mit 1 EL Öl bestreichen.

Spinatlasagne
mit Tomatensauce

Der Klassiker ohne Fleisch – ein heißer Favorit aus dem Backofen,
knusprig gebacken und Schicht für Schicht ein Genuss

Zutaten

1 Schalotte

2 Knoblauchzehen

3 EL getrocknete

Tomaten (in Öl)

3 EL Olivenöl

400 g geschälte Tomaten

(aus der Dose)

50 ml trockener Weißwein

Salz · Pfeffer aus der Mühle

200 g Blattspinat

500 g Ricotta

frisch geriebene Muskatnuss

25 g Butter · 25 g Mehl

300 ml Milch

50 g frisch geriebener

Parmesan

250 g Lasagneblätter

150 g Mozzarella

(in Scheiben geschnitten)

Zubereitung
FÜR 4 PERSONEN

1 Die Schalotte und den Knoblauch schälen und in feine Würfel schneiden. Die getrockneten Tomaten auf Küchenpapier abtropfen lassen und hacken. In einer großen Pfanne 2 EL Öl erhitzen, Schalotte, Knoblauch und die getrockneten Tomaten darin andünsten.

2 Dosentomaten samt Saft und den Wein dazugeben, die Tomaten mit einer Gabel zerdrücken. Bei mittlerer Hitze etwa 10 Minuten zu einer dickflüssigen Sauce einkochen lassen, mit Salz und Pfeffer kräftig würzen.

3 Den Spinat putzen, waschen und in kochendem Salzwasser kurz blanchieren. In ein Sieb abgießen, gut ausdrücken und klein hacken.

4 Den Spinat in einer Schüssel mit dem Ricotta vermischen, mit Muskatnuss, Salz und Pfeffer kräftig würzen.

5 Den Backofen auf 180 °C vorheizen. Für die Käsesauce die Butter in einem kleinen Topf zerlassen, das Mehl darin unter Rühren goldgelb anschwitzen. Die Milch unter ständigem Rühren nach und nach dazugeben. Den Parmesan unterrühren und die Sauce bei schwacher Hitze etwa 10 Minuten köcheln lassen.

6 Eine ofenfeste Form mit 1 EL Öl ausstreichen und lagenweise füllen: Zunächst den Boden mit Lasagneblättern auslegen und mit Tomatensauce bestreichen. Mit Lasagneblättern belegen und die Spinat-Ricotta-Mischung darauf verteilen. In dieser Reihenfolge alle Zutaten in die Form schichten. Mit der Käsesauce begießen und den Mozzarella darauf legen. Die Lasagne im Backofen auf der mittleren Schiene etwa 60 Minuten goldbraun überbacken.

Makkaroniauflauf
mit Zucchini und Petersilie

Zutaten

350 g Makkaroni · Salz

1 Zwiebel · 1 Knoblauchzehe

1 großer Zucchino

200 g Edelpilzkäse

(z. B. Gorgonzola)

2 Eier

2 Bund Petersilie

Fett für die Form

4 ½ EL Butter

3 ½ EL Mehl

400 ml Milch

Pfeffer aus der Mühle

ca. 2 EL Paniermehl

Zubereitung

FÜR 4 PERSONEN

1 Die Makkaroni nach Packungsanweisung in reichlich kochendem Salzwasser bissfest garen. Die Zwiebel und den Knoblauch schälen und in feine Würfel schneiden. Den Zucchino putzen, waschen, der Länge nach halbieren und mit einem Löffel die Kerne entfernen.

2 Den Käse in kleine Stücke schneiden. Die Eier verquirlen. Die Petersilie waschen und trockenschütteln, die Blätter von den Stielen zupfen und fein hacken. Eine ofenfeste Form einfetten. Den Backofen auf 200 °C vorheizen.

3 In einem Topf 3 EL Butter zerlassen, Zwiebel- und Knoblauchwürfel darin andünsten. Das Mehl dazugeben und kurz anschwitzen. Die Milch unter ständigem Rühren nach und nach dazugeben. Drei Viertel der Käsestücke unter Rühren in der Sauce schmelzen.

4 Den Topf vom Herd nehmen und die Eier in die Sauce rühren. Makkaroni, Zucchini und Petersilie in der Form verteilen. Die Käsesauce mit Salz und Pfeffer würzen und darüber gießen. Restlichen Käse, Paniermehl und Butterflöckchen darüber geben und im Backofen auf der mittleren Schiene 30 Minuten überbacken.

Cannelloni
mit Spinat und Ricotta

Zutaten

400 g Blattspinat

Fett für die Form

20 g Pinienkerne

200 g Ricotta

3 Eier

Salz · Pfeffer aus der Mühle

1 Knoblauchzehe

16 Cannelloni

100 g Parmesan (am Stück)

100 g Sahne

1 EL Butter

Zubereitung
FÜR 4 PERSONEN

1 Den Spinat putzen und waschen. In kochendem Wasser zusammenfallen lassen, in ein Sieb abgießen und abtropfen lassen. Gut ausdrücken und grob hacken. Eine ofenfeste Form einfetten und den Backofen auf 200 °C vorheizen.

2 Die Pinienkerne in einer Pfanne ohne Fett goldbraun rösten und abkühlen lassen. Den Ricotta mit 1 Ei, etwas Salz und Pfeffer glatt rühren. Den Knoblauch schälen, in feine Würfel schneiden und unterrühren. Die Pinienkerne hacken und unter die Käsecreme mischen.

3 Den Spinat ebenfalls unterrühren. Die Spinat-Ricotta-Masse mit einem Löffel oder Spritzbeutel in die Cannelloni füllen. Die Cannelloni nebeneinander in die Auflaufform setzen.

4 Den Parmesan fein reiben. Die Sahne, die restlichen Eier und 60 g geriebenen Parmesan verquirlen und über die Cannelloni gießen.

5 Restlichen Parmesan über die Cannelloni streuen und mit Butterflöckchen belegen. Die Cannelloni im Backofen auf der mittleren Schiene etwa 35 Minuten goldbraun überbacken.

Conchiglioni
mit Spargelfüllung

Edel verpflichtet: Wenn Muschelnudeln mit Hähnchenfleisch und Spargel gefüllt werden, wird das Essen garantiert zum Fest

Zutaten

250 g Conchiglioni · Salz

250 g weißer Spargel

Zucker

150 g Hähnchenbrustfilet

2 Schalotten

1 Bund Petersilie

1 Kugel Mozzarella

(ca. 125 g)

1 Eigelb

2 EL Semmelbrösel

Pfeffer aus der Mühle

Fett für die Form

100 ml trockener Weißwein

2 EL Sahne

50 g frisch geriebener

Pecorino

2 TL Butter

Zubereitung

FÜR 4 PERSONEN

1 Die Conchiglioni nach Packungsanweisung in reichlich kochendem Salzwasser bissfest garen. In ein Sieb abgießen, kalt abbrausen und abtropfen lassen.

2 Die Spargelstangen waschen, die holzigen Enden abschneiden und die Stangen gründlich schälen. Mit 1 Prise Zucker in reichlich kochendem Salzwasser etwa 15 Minuten bissfest garen. Die Spargelstangen abtropfen lassen und schräg in Scheiben schneiden.

3 Das Hähnchenbrustfilet waschen, trockentupfen und in kleine Würfel schneiden. Die Schalotten schälen und in feine Würfel schneiden. Die Petersilie waschen und trockenschütteln, die Blätter von den Stielen zupfen und fein hacken. Den Mozzarella in Würfel schneiden.

4 Den Backofen auf 200 °C vorheizen. Die Spargelscheiben mit dem Fleisch, dem Mozzarella, den Schalotten, der Petersilie, dem Eigelb und den Semmelbröseln mischen, mit Salz und Pfeffer kräftig abschmecken.

5 Die Masse mit einem Löffel in die Conchiglioni füllen und diese nebeneinander in eine gefettete feuerfeste Form setzen. Den Wein mit der Sahne mischen und seitlich in die Form gießen. Den Pecorino über die gefüllten Nudeln streuen, mit Butterflöckchen belegen. Die Conchiglioni im Backofen auf der mittleren Schiene etwa 35 Minuten goldbraun überbacken.

Lasagne
mit Gorgonzolasauce

Darf es etwas würziger sein? Der Lieblingsauflauf der Italiener
hat mit der herzhaften Käsesauce den perfekten Begleiter gefunden

Zutaten

12 Lasagneblätter · Salz

1 Zwiebel

1 Knoblauchzehe

2 Möhren

½ Fenchelknolle

4 Tomaten

1 EL Butterschmalz

400 g Hackfleisch

1 Lorbeerblatt

⅛ l trockener Weißwein

Pfeffer aus der Mühle

1 EL fein gehackte Petersilie

1 EL Butter · 1 EL Mehl

¼ l Milch

Pfeffer aus der Mühle

frisch geriebene Muskatnuss

200 g Gorgonzola

Fett für die Form

80 g frisch geriebener

Parmesan

Zubereitung

FÜR 4 PERSONEN

1 Die Lasagneblätter in reichlich kochendem Salzwasser bissfest garen, herausnehmen und abtropfen lassen.

2 Zwiebel, Knoblauch und Möhren schälen und in Würfel schneiden. Den Fenchel putzen, waschen und ebenfalls in Würfel schneiden. Die Tomaten überbrühen, häuten, vierteln und entkernen. Das Fruchtfleisch in Würfel schneiden.

3 Das Butterschmalz in einer Pfanne erhitzen und das Hackfleisch darin krümelig braten. Das vorbereitete Gemüse und das Lorbeerblatt einige Minuten mitbraten. Den Wein dazugießen und so lange bei starker Hitze kochen lassen, bis die gesamte Flüssigkeit verdampft ist. Das Lorbeerblatt wieder herausnehmen und die Petersilie untermischen. Mit Salz und Pfeffer würzen.

4 Die Butter in einem kleinen Topf zerlassen, das Mehl darin unter Rühren goldgelb anschwitzen. Die Milch unter ständigem Rühren nach und nach dazugeben. Mit Salz, Pfeffer und Muskatnuss würzen und die Sauce bei schwacher Hitze etwa 10 Minuten köcheln lassen. Den Gorgonzola in Würfel schneiden, dazugeben und schmelzen lassen. Den Backofen auf 200 °C vorheizen.

5 Eine rechteckige ofenfeste Form einfetten und lagenweise füllen: Zunächst den Boden mit Lasagneblättern auslegen, dann etwas Gemüse-Hackfleisch-Sauce und etwas Käsesauce darüber verteilen. Mit Lasagneblättern belegen und so fortfahren, bis alles verbraucht ist. Zum Schluss mit Lasagneblättern bedecken und die restliche Käsesauce darauf verteilen. Mit Parmesan bestreuen und im vorgeheizten Backofen etwa 35 Minuten goldbraun überbacken.

Lasagnerouladen
mit Ricotta und Schinken

Zutaten

8 Lasagneblätter · Salz

2 EL Olivenöl

200 g gekochter Schinken
(am Stück)

1 Bund Rucola · 1 Zwiebel

2 Knoblauchzehen

400 g Ricotta · 2 Eier

150 g frisch geriebener
Parmesan

Pfeffer aus der Mühle

frisch geriebene Muskatnuss

Fett für die Form

2 TL Butter

Zubereitung
FÜR 4 PERSONEN

1 Die Lasagneblätter in reichlich kochendem Salzwasser mit 1 EL Öl 6 Minuten weich garen (auch bei Lasagneblättern ohne Vorkochen!). Einzeln mit dem Schaumlöffel herausnehmen und in eine Schüssel mit kaltem Wasser geben.

2 Den Schinken in Würfel schneiden. Den Rucola verlesen, waschen, trockenschütteln und sehr fein hacken. Die Zwiebel und den Knoblauch schälen und in feine Würfel schneiden. 1 EL Öl erhitzen, Zwiebel und Knoblauch darin andünsten. Den Backofen auf 180 °C vorheizen.

3 Die Zwiebelmischung mit Rucola, Ricotta, Eiern und 100 g Parmesan mischen, mit Salz, Pfeffer und Muskatnuss würzen. Die Lasagneblätter abtropfen lassen und dünn mit der Mischung bestreichen. Die Blätter von der kurzen Seite her aufrollen, jeweils in 3 gleich große Stücke schneiden.

4 Die Nudelrouladen in eine gefettete ofenfeste Form setzen, mit dem restlichen Parmesan bestreuen und mit Butterflöckchen belegen. Im Backofen auf der mittleren Schiene etwa 15 Minuten goldbraun überbacken.

Cannelloni
mit Lauchfüllung

Zutaten

ca. 6 dünne Stangen Lauch

Salz · Pfeffer aus der Mühle

frisch geriebene Muskatnuss

16 Cannelloni

2 EL Olivenöl

1 EL Tomatenmark

480 g geschälte Tomaten
(aus der Dose)

1 EL getrockneter Oregano

Zucker · Fett für die Form

200 g Schafskäse

150 g Crème fraîche

Zubereitung
FÜR 4 PERSONEN

1 Die Lauchstangen putzen, waschen und in 16 Stücke schneiden (die Stücke sollten die gleiche Länge wie die Cannelloni haben). Den Lauch in kochendem Salzwasser blanchieren. In ein Sieb abgießen, mit Salz, Pfeffer und Muskatnuss würzen. Die Cannelloni mit den Lauchstangen füllen.

2 Das Öl erhitzen, Tomatenmark, Dosentomaten ohne Saft und Oregano darin andünsten. Etwa 20 Minuten einkochen lassen, mit Salz, Pfeffer und etwas Zucker würzen.

3 Den Backofen auf 200 °C vorheizen. Die Tomatensauce in eine gefettete ofenfeste Form geben und die Cannelloni darauf setzen.

4 Den Schafskäse grob zerkrümeln. Mit der Crème fraîche verrühren, mit Salz und Pfeffer würzen und über die Cannelloni geben. Die Cannelloni im Backofen auf der mittleren Schiene etwa 35 Minuten goldbraun überbacken, die letzten 3 Minuten den Backofengrill zuschalten.

Cannelloni
mit Gemüsefüllung

Die Mischung macht's: Knackiges Sommergemüse, feine Kräuter und
pikanter Ziegenkäse geben dieser Füllung den richtigen Pfiff

Zutaten

400 g Tomaten

1 Zwiebel · 1/2 Möhre

1/2 Stange Staudensellerie

6 EL Olivenöl

2 TL getrockneter Thymian

Salz · Pfeffer aus der Mühle

1 Aubergine

2 kleine Zucchini

1 Knoblauchzehe

1 rote Chilischote

1 TL getrockneter Oregano

300 g Ziegenfrischkäse

24 Cannelloni

Fett für die Form

60 g frisch geriebener

Pecorino

2 TL Butter

Zubereitung

FÜR 4 PERSONEN

1 Für die Tomatensauce die Tomaten überbrühen, häuten, vierteln und entkernen. Das Fruchtfleisch in Würfel schneiden. Zwiebel und Möhre schälen und in kleine Würfel schneiden. Die Selleriestange putzen, waschen und ebenfalls in kleine Würfel schneiden.

2 In einem Topf 3 EL Öl erhitzen und das Gemüse – bis auf die Tomaten – darin andünsten. Tomaten und 1 TL Thymian hinzufügen. Die Sauce mit Salz und Pfeffer würzen und zugedeckt etwa 20 Minuten köcheln lassen.

3 Für die Füllung die Aubergine und die Zucchini putzen, waschen und in kleine Würfel schneiden. Den Knoblauch schälen und in feine Würfel schneiden. Die Chilischote längs halbieren, entkernen, waschen und in feine Streifen schneiden.

4 Den Backofen auf 220 °C vorheizen. Das restliche Öl erhitzen, Auberginen- und Zucchiniwürfel, Knoblauch und Chili darin anbraten. Mit Salz, Pfeffer, Oregano und 1 TL Thymian würzen und etwas abkühlen lassen. Den Ziegenkäse grob zerkleinern und unterrühren.

5 Die Cannelloni jeweils mit 2 bis 3 EL Gemüse-Käse-Mischung füllen und in eine gefettete ofenfeste Form schichten. Die Tomatensauce darüber gießen. Cannelloni mit dem Pecorino bestreuen, mit Butterflöckchen belegen und im Backofen auf der mittleren Schiene etwa 30 Minuten goldbraun überbacken.

Makkaroniauflauf

mit Mortadella und Gemüse

Eine perfekte italienische Liaison: Mortadella, die »Dicke aus Bologna«,
schmeckt mit ihrem intensiven Knoblaucharoma nicht nur auf Ciabatta

Zutaten

2 Zwiebeln

2 Knoblauchzehen

1 kleine Aubergine

80 g braune Champignons

150 g Mortadella

(in Scheiben)

3 EL Olivenöl

1 EL Tomatenmark

100 g passierte Tomaten

(Fertigprodukt)

150 ml trockener Weißwein

3 Zweige Majoran

250 g Makkaroni · Salz

100 g Mascarpone

Pfeffer aus der Mühle

Fett für die Form

1 Kugel Mozzarella

(ca. 125 g)

Zubereitung

FÜR 4 PERSONEN

1 Die Zwiebeln und den Knoblauch schälen und in feine Würfel schneiden. Die Aubergine putzen, waschen und in kleine Würfel schneiden. Die Champignons putzen, mit Küchenpapier trocken abreiben und je nach Größe halbieren oder vierteln. Die Mortadella in etwa 1 cm breite Streifen schneiden.

2 Das Öl in einem Topf erhitzen, Zwiebeln, Knoblauch, Aubergine, Champignons und Mortadella darin anbraten. Tomatenmark und die passierten Tomaten dazugeben und den Wein dazugießen. Die Sauce bei schwacher Hitze etwa 15 Minuten köcheln lassen.

3 Den Majoran waschen und trockenschütteln, die Blättchen von den Stielen zupfen und fein hacken.

4 Den Backofen auf 200 °C vorheizen. Die Makkaroni nach Packungsanweisung in reichlich kochendem Salzwasser bissfest garen. In ein Sieb abgießen und abtropfen lassen.

5 Majoran und Mascarpone unter die Sauce mischen, mit Salz und Pfeffer abschmecken.

6 Die Makkaroni abwechselnd mit der Sauce in eine gefettete ofenfeste Form schichten. Den Mozzarella in Scheiben schneiden und darüber verteilen. Den Nudelauflauf im Backofen auf der mittleren Schiene etwa 15 Minuten goldbraun überbacken.

Ravioli
mit Salbei-Knoblauch-Butter

Zutaten

400 g Mehl · 5 Eier

1 EL Olivenöl

Salz · 300 g Blattspinat

200 g Ricotta

Pfeffer aus der Mühle

frisch geriebene Muskatnuss

60 g frisch geriebener Parmesan

2 EL Semmelbrösel

Mehl für die Arbeitsfläche

2 Knoblauchzehen

50 g Butter

15 Salbeiblätter

Zubereitung
FÜR 4 PERSONEN

1 Aus Mehl, 4 Eiern, Öl und ½ TL Salz einen
Nudelteig kneten (siehe Seite 8) und zugedeckt etwa 30 Minuten ruhen lassen.

2 Für die Füllung den Spinat putzen, waschen
und in kochendem Salzwasser 2 Minuten blanchieren. In ein Sieb abgießen und abtropfen
lassen. Gut ausdrücken und grob hacken.
Den Ricotta, die Gewürze, den Parmesan,
die Semmelbrösel und das restliche Ei dazugeben und alles gut vermischen.

3 Den Teig auf bemehlter Arbeitsfläche portions-
weise dünn ausrollen und Kreise von etwa 6 cm
Durchmesser ausstechen. Auf jeden Teigkreis
2 TL der Füllung geben, die Teigränder mit
Wasser bestreichen und zu Halbkreisen schlie-
ßen. Die Ränder mit einer Gabel festdrücken.

4 Die Ravioli in reichlich kochendem Salzwasser
4 bis 5 Minuten garen, mit dem Schaumlöffel
herausheben und abtropfen lassen. Knoblauch
schälen, fein würfeln und in der Butter anbraten. Die Salbeiblätter kurz darin schwenken.
Die Ravioli mit der Salbeibutter anrichten.

Rucola-Ravioli
mit Chili und Pecorino

Zutaten

400 g Mehl · 4 Eier

2 EL Olivenöl · Salz

200 g Rucola

1 Zwiebel · 250 g Ricotta

50 g frisch geriebener Pecorino

Pfeffer aus der Mühle

frisch geriebene Muskatnuss

Mehl für die Arbeitsfläche

4 EL Butter

1/2 Bund Rucola zum Garnieren

1 getrocknete Chilischote

50 g frisch gehobelter Pecorino

Zubereitung

FÜR 4 PERSONEN

1 Aus Mehl, Eiern, 1 EL Öl und 1/2 TL Salz einen Nudelteig kneten (siehe Seite 8) und zugedeckt etwa 30 Minuten ruhen lassen.

2 Für die Füllung den Rucola verlesen, waschen und trockenschütteln, die Blätter fein hacken. Zwiebel schälen und in feine Würfel schneiden. Das restliche Öl in einer Pfanne erhitzen, Zwiebel und Rucola darin andünsten, bis alle Flüssigkeit verdampft ist. Lauwarm abkühlen lassen und mit Ricotta und Pecorino vermischen, mit Salz, Pfeffer und Muskatnuss würzen.

3 Den Teig auf bemehlter Arbeitsfläche dünn zu 2 Platten ausrollen. Auf eine Teigplatte in Abständen von etwa 3 cm 1 bis 2 TL der Füllung setzen. Mit der anderen Teigplatte abdecken. Den Teig um die Füllung festdrücken. Mit dem Teigrädchen Ravioli ausschneiden (siehe Seite 9). Ravioli in kochendem Salzwasser 3 bis 4 Minuten garen.

4 Ravioli abgießen und mit zerlassener Butter, restlichem Rucola, zerstoßener Chilischote und Pecorino bestreut servieren.

Nudelnester
in Pergament

Eine Überraschung auf dem Teller: In kleinen Päckchen geschmort,
schmecken die Spaghetti mit würziger Tomatensauce nochmal so gut

Zutaten

1 Knoblauchzehe

4 EL Olivenöl

240 g geschälte Tomaten

(aus der Dose)

Salz · Pfeffer aus der Mühle

400 g Spaghetti

500 g Tomaten

1 Bund Petersilie

50 g schwarze Oliven

(ohne Stein)

8 Scheiben Pancetta

(ital. Bauchspeck)

8 Sardellenfilets (in Öl)

50 g frisch gehobelter

Parmesan

Zubereitung

FÜR 4 PERSONEN

1 Den Knoblauch schälen und in feine Würfel schneiden. In einer Pfanne 2 EL Öl erhitzen. Den Knoblauch darin andünsten und aus der Pfanne nehmen. Die Dosentomaten ohne Saft im Knoblauchöl 10 Minuten köcheln lassen, dann mit dem Stabmixer pürieren. Mit Salz und Pfeffer kräftig würzen und nochmals etwa 10 Minuten einkochen lassen. Den Backofen auf 200 °C vorheizen.

2 Die Spaghetti nach Packungsanweisung in reichlich kochendem Salzwasser bissfest garen.

3 Inzwischen die Tomaten überbrühen, häuten, vierteln und entkernen. Das Fruchtfleisch in Würfel schneiden. Die Petersilie waschen und trockenschütteln, die Blätter von den Stielen zupfen und fein hacken. Die Oliven in Scheiben schneiden.

4 Die Spaghetti in ein Sieb abgießen und abtropfen lassen. Mit der Tomatensauce, den Tomatenwürfeln, den Oliven und 1 EL Petersilie mischen. 8 Blatt Pergamentpapier (à etwa 25 x 25 cm) mit dem restlichen Öl bestreichen.

5 Die Tomatennudeln zu 8 Nestern formen und jeweils in die Mitte des Papiers setzen. Je 1 Scheibe Pancetta, 1 Sardellenfilet und etwas Petersilie darauf geben. Das Papier über der Füllung zusammenfalten.

6 Die Nudelpäckchen auf das Blech setzen und im Backofen auf der zweiten Schiene von unten etwa 15 Minuten garen. Zum Servieren das Papier aufschlagen und die Nester mit Parmesanspänen bestreuen.

Rezeptregister

Impressum

© Verlag Zabert Sandmann GmbH, München
7. Auflage 2007
ISBN 978-3-89883-120-8

Grafische Gestaltung: Georg Feigl
Rezepte: ZS-Team
Redaktion: Kathrin Ullerich, Martina Solter
Herstellung: Karin Mayer, Peter Karg-Cordes
Lithografie: Christine Rühmer
Druck & Bindung in Italien

Bildnachweis

Umschlagfotos: Susie Eising (Vorderseite); StockFood/Susie Eising (Rückseite)
Walter Cimbal: 109, 115, 118, 119, 127; Jo Kirchherr (Styling Oliver Brachat): 39; StockFood/Steve Baxter: 91; StockFood/Uwe Bender: 51; StockFood/Frieder Blickle: 2–3; StockFood/Michael Boyny: 87; StockFood/Stefan Braun: 84; StockFood/Michael Brauner: 7 Mitte, 38; StockFood/Caggiano Photography: 28, 111; StockFood/Jean Cazals: 45, 48, 65; StockFood/Pete A. Eising: 124; StockFood/Susie Eising: 1, 4–5, 7 (2. von links oben), 8, 9, 10–11, 13, 17, 21, 23, 25, 27, 31, 32–33, 35, 37, 41, 42, 43, 47, 49, 55, 57, 58, 59, 61, 63, 67, 69, 70, 71, 73, 74, 75, 76–77, 79, 81, 83, 85, 89, 93, 94, 95, 97, 99, 100, 101, 103, 105, 106–107, 112, 113, 121; StockFood/S. & P. Eising: 6 rechts, 7 links oben; StockFood/Foodphotography Eising: 7 links unten, 64, 90, 117, 123; StockFood/Michael Grand: 15; StockFood/Walter Pfisterer: 6 links, 7 (2. von links unten); StockFood/Maximilian Stock LTD: 7 rechts; Stock Food/Martina Urban: 29; StockFood/Elisabeth Watt: 18, 19, 54; StockFood/Frank Wieder: 125